L'ENGRENAGE DU MAL

Né en 1971 à Neuchâtel en Suisse, Nicolas Feuz a étudié le droit, obtenu le brevet d'avocat et exercé comme juge d'instruction. Aujourd'hui procureur de la République, il s'est lancé dans l'écriture de romans noirs en 2010.

Paru au Livre de Poche :

HORRORA BOREALIS
LE MIROIR DES ÂMES
L'OMBRE DU RENARD

NICOLAS FEUZ

L'Engrenage du mal

SLATKINE & CIE

© Slatkine & Cie, 2020.
ISBN : 978-2-253-07920-0 – 1re publication LGF

«Nous sommes désormais dans un moulin à eau, un moulin souterrain. Bien au-dessous du sol mugit un torrent. Personne, là-haut, ne s'en doute. L'eau tombe de plusieurs toises sur les roues qui tournent bruyamment et menacent d'accrocher nos vêtements et de nous entraîner avec elles. Les marches sur lesquelles nous nous trouvons sont usées et humides. L'eau ruisselle des murs de pierre, et, tout près, s'ouvre l'abîme.»

Hans Christian Andersen,
Voyages en Suisse, 1836

Prologue

Après avoir craché du sang, la montagne avait vomi des corps.

Depuis le début de la semaine, un été caniculaire s'était abattu sur le Jura, la touffeur envahissait la Suisse romande et un bon quart nord-est de la France. Tout le monde cherchait la fraîcheur et on voyait des grappes de marcheurs qui gagnaient les forêts et les bords ombragés des rivières.

Ce jour-là, la famille Dätwyler avait préféré les côtes du Doubs aux gorges de l'Areuse, assaillies par les promeneurs. Jean-Marc avait garé sa vieille Bentley décapotable au bord de la route dans un lacet de Bourg-Dessous. Ils avaient gagné le saut du Doubs à pied, depuis le village des Brenets. Une bonne marche pour les deux enfants, de huit et dix ans, mais comme le leur avaient expliqué leurs parents, une *torrée* se méritait. La *torrée* est une tradition du canton de Neuchâtel, le prétexte à une promenade, on fait cuire sous la cendre du saucisson et des pommes de terre, mais cette fois, il faisait trop chaud pour faire un vrai feu.

— J'ai chaud, répéta la petite fille.

Sa mère chercha à détourner son attention.

— Tu vois, Élisa, de l'autre côté de la rivière, c'est la France. La frontière passe au milieu de l'eau.

— Comment font les douaniers s'il n'y a pas de barrière ? demanda Nicolas. Ils ont des bateaux ?

— Certainement, sourit Jean-Marc. Mais les postes de contrôle sont à terre. Aux Brenets, au col des Roches ou sur chaque pont, par exemple à Biaufond et Goumois. Plus bas, il y a aussi le barrage du Châtelot…

Son fils n'écoutait pas, il regardait le paysage lunaire.

Habituellement, le Doubs sourd sous la roche calcaire et les rivières souterraines jaillissent et disparaissent, creusent des grottes, les savants appellent cela un terrain karstique. Mais cette année-là, le spectacle était celui de la désolation. Le niveau de l'eau était au plus bas. Le belvédère s'ouvrait à perte de vue sur de longs bancs sablonneux où les poissons pourrissaient au soleil dans une odeur pestilentielle.

Les Dätwyler poussèrent leur balade jusqu'à la *grande chute*, qui n'avait plus de grande que le nom. Nicolas lança dans l'eau une feuille de platane en guise de bateau improvisé, mais le faible courant ne l'emporta pas. Elle resta coincée entre deux cailloux. Déçu, il se tourna vers sa mère.

— J'ai faim.

Ils rebroussèrent chemin jusqu'aux Brenets pour pique-niquer.

Jean-Marc avait annoncé un endroit paradisiaque connu de lui seul. C'était au fond du vallon, quand la Rançonnière descend de l'encorbellement du tunnel du Col-des-Roches jusqu'au Doubs. L'endroit n'est plus fréquenté depuis qu'on y a construit une usine électrique. Mais à un point précis de la falaise, une résurgence s'ouvre sur une petite cascade qui se vide dans un bassin d'eau claire. Jean-Marc y jouait souvent lorsqu'il était enfant.

Il chargea Élisa de surveiller son frère, pendant qu'il préparait un petit feu symbolique pour la *torrée*. Valérie, sa femme, installait une couverture en retrait, sous un sapin. Elle tira du sac le livre que tout le monde lisait depuis le printemps, *L'Aigle de sang*, un polar suisse qui se déroulait en Suède, il le lui avait offert pour la fête des Mères. Valérie était une fan absolue de l'auteur, Marc Voltenauer.

Les enfants pataugeaient et riaient en passant sous la cascade. Patiemment, Jean-Marc attendit que les flammes transforment le petit tas de bois en cendres incandescentes, pour y enfouir les saucissons neuchâtelois emballés dans du papier journal.

Soudain, il y eut un cri strident.

C'était la voix de Nicolas. Jean-Marc lâcha la branche qui lui servait de tisonnier et se précipita vers le bassin. Son fils était debout devant la vasque. Il tremblait. Valérie les avait rejoints.

— Qu'est-ce qu'il y a ? criait-elle.

— La montagne… Elle a craché du sang.

Il pensa, en même temps, la même chose que Valérie : leur fille. Ils se mirent à courir dans le petit bassin, à la chercher en battant des mains la surface. La panique les gagnait.

— Élisa ! hurlait sa mère.

— Je suis là…, répondit une voix timide.

Elle était apparue derrière la cascade. Le débit de la chute commençait à se tarir, comme d'un robinet qu'on fermerait. Quelque chose bouchait la source. Les cheveux d'Élisa étaient sales. Elle semblait pétrifiée.

— Sors de là ! hurla Valérie.

Avant qu'elle ait eu le temps d'obéir, un grondement sourd émana des entrailles de la terre. La source se mit à vomir de la boue par saccades, puis la pression fit éclater la paroi rocheuse. De nouvelles failles laissaient s'échapper l'air en bulles et la vapeur, dans un sifflement strident.

Jean-Marc s'était précipité sur sa fille, il l'arracha du bassin, hurla à sa femme et à son fils de fuir, mais ils n'avaient pas l'air décidés à bouger et reculaient lentement, comme à regret, sans quitter des yeux la source en colère.

— Élisa, tu es blessée ? hurla Valérie en passant une main tremblante dans les cheveux poisseux de sa fille.

Ses doigts étaient couverts d'une boue jaunâtre mêlée de sang.

— Ce n'est pas moi qui saigne, maman, c'est la montagne.

Dans un fracas assourdissant, la roche céda. De la résurgence jaillirent des trombes d'eau sale, la montagne s'était mise à vomir. Le courant violent arrachait terre et cailloux, agrandissant à vue d'œil l'orifice dans la falaise. Le petit bassin se remplissait de boue et débordait.

Deux corps apparurent enfin dans le limon jaunâtre que la falaise régurgitait, comme si la montagne accouchait péniblement de deux gros enfants mort-nés. Les pantins désarticulés roulèrent sur eux-mêmes et s'écrasèrent dans la vasque, devant les Dätwyler. Élisa et Nicolas hurlèrent. Valérie projeta ses mains devant sa bouche. Jean-Marc détourna le regard des enfants en plaquant leur visage contre sa poitrine. Lui-même resta pétrifié à la vue des deux cadavres que la montagne venait de libérer.

C'étaient les corps d'hommes adultes qu'on aurait dit passés dans un laminoir. Les vêtements étaient déchirés, la peau lacérée, les os broyés, et les visages rendus méconnaissables par la boue, le sang et les blessures ouvertes. Les viscères de l'un débordaient de son abdomen. Le bras droit de l'autre était sectionné à hauteur d'épaule.

1

À La Chaux-de-Fonds, si l'on en croit les statistiques, janvier est le mois le plus froid de l'année. 2019 confirmait la tendance.

En sortant du tunnel de la Vue-des-Alpes, le fourgon Securitas dérapa sur le verglas et manqua quitter la route enneigée. Assise à l'arrière, perpendiculairement au sens de la marche, la détenue extraite de la prison de Lonay bascula. Son épaule gauche heurta violemment la tôle. Les menottes l'empêchèrent de se rattraper.

— Enfoiré! geignit-elle à l'adresse du chauffeur qui ne l'entendit pas.

Le compartiment cellulaire étant hermétiquement séparé de la cabine. Elle n'entendit donc pas non plus le dialogue des deux hommes à l'avant.

— Putain de ville! s'exclama l'agent de sécurité sur le siège passager.

— Paraît qu'il faut y être né pour y vivre, répondit le chauffeur.

Située à près de mille mètres d'altitude, La Chaux-de-Fonds est la ville la plus haute d'Europe. Cent cinquante jours de gel par an, dit-on à Neuchâtel. Les habitants de «La Tchaux» prétendent en retour que l'ensoleillement y est meilleur qu'à Neuchâtel où le brouillard trouble la vue sur le lac, le vin non filtré et les esprits.

La rue de l'Hôtel-de-Ville était fermée à la circulation pour cause de déneigement. Le fourgon passa par le boulevard de la Liberté. «Un comble pour notre passagère», ricana le chauffeur en lisant le nom de l'artère sur l'écran du GPS.

Après le Grand-Pont, le fourgon bifurqua sur l'avenue Léopold-Robert, le Pod comme on l'appelait ici. Ils avaient déjà trente minutes de retard. Quelqu'un avait prévenu le tribunal. L'or blanc recouvrait tout, le ballet des chasse-neige se poursuivrait toute la matinée. Le fourgon passa au pied de la tour Espacité, puis contourna la Grande Fontaine. Quelques instants plus tard, il s'engouffra dans le garage de la police, au nord de l'hôtel de ville.

On fit sortir la détenue par la portière latérale. Un agent vérifia les menottes ; elles étaient reliées entre elles par une chaîne qui s'arrimait à la grosse ceinture de cuir qu'on avait passée autour de sa taille.

Le petit groupe franchit le sas et gagna les couloirs feutrés de l'hôtel de ville.

Au premier étage, la salle du conseil général accueillait les audiences du tribunal criminel.

— La Cour t'accorde cinq minutes pour t'entretenir avec ton avocat, dit l'agent de sécurité. Pas une de plus.

— Je ne suis pas responsable du retard.

— Et je ne suis pas responsable de la décision des juges.

La fille eut une moue mauvaise.

— J'ai besoin de pisser.

— Ça ne peut pas attendre ?

Elle secoua la tête. L'agent la regarda en pensant que, même pour une habituée des tribunaux, le moment devait être difficile. Il avait lu quelque part que tous les comédiens, même les plus aguerris, restaient sensibles au trac et que le trac exerçait une pression impérieuse sur la vessie.

Le passage aux toilettes soulagea mieux la détenue que le très bref entretien auquel elle eut droit avec son avocat. Me Studer semblait empêtré par sa stature impressionnante, et malgré son éloquence légendaire, il ne sut trouver les mots pour réconforter sa cliente.

— Ils n'ont pas grand-chose contre vous, lâcha-t-il simplement, dans un souffle. Contentez-vous de confirmer ce que vous avez déclaré durant l'instruction et tout se passera bien. Lorsqu'elle entra dans le tribunal, la première personne qu'elle vit fut le procureur dans sa robe noire bordée d'hermine. Le représentant du ministère public était assis à droite, le dossier de l'instruction rangé devant lui sur un bureau. Leurs regards se croisèrent. Un malaise s'installa.

Les agents de sécurité lui désignèrent sa place, mais ce n'était pas nécessaire, elle la connaissait. Son avocat s'assit derrière elle. Des gendarmes s'étaient postés aux quatre coins de la salle d'audience. On lui retira les menottes, elle se frotta les poignets, voulut s'asseoir, mais elle n'en eut pas le temps. Le greffier entra par une porte dérobée et annonça la Cour. Tous se levèrent, et plus vite encore que les autres, le maigre public : quelques journalistes, des avocats stagiaires, des étudiants en droit et une poignée de curieux qui avaient lu la presse du jour.

Les trois juges s'avancèrent sur l'estrade et s'installèrent en soulevant précautionneusement leur lourde robe noire. La présidente du tribunal criminel se tourna vers ses deux assesseurs, l'un, puis l'autre, et invita l'assemblée à s'asseoir. Ensuite, ce fut purement formel. La présidente annonça l'ouverture des débats, donna connaissance de la composition de la Cour, constata la présence du procureur Norbert Jemsen et s'assura qu'aucun témoin cité à comparaître ne figurait dans le public. Alors seulement, elle se tourna vers la détenue.

— Le tribunal constate également la présence de la prévenue et de son mandataire. Si vous le voulez bien, nous allons commencer par vérifier votre identité.

La magistrate énonça ses nom, prénom, date et lieu de naissance, filiation, profession et adresse. En l'occurrence, l'ancienne adresse, complétée par la formule : «actuellement en détention provisoire à la prison de la Tuilière à Lonay, depuis le mois de septembre 2018».

Le procureur Jemsen dévisageait Tanja Stojkaj avec tristesse. L'ancienne inspectrice de la police judiciaire fédérale n'était plus que l'ombre d'elle-même. Elle avait beaucoup maigri et on aurait dit que ses joues creusées faisaient jaillir les deux globes de ses yeux noirs et tristes. À ce stade, on ne pouvait même plus parler de dépression, d'absence, d'indifférence. Elle était là comme elle aurait été ailleurs, le procès n'était qu'une mascarade. Elle avait tout perdu.

Il n'avait fallu qu'un peu plus de trois mois.

Tout remontait à septembre.

2

— Qui a dit qu'il faisait froid à La Tchaux ? ronchonna Flavie Keller.

Il faisait effectivement une chaleur inhabituelle pour un mois de septembre. Trente-six degrés. Jemsen et sa greffière revenaient d'une intervention en Corse où la température était à peine plus élevée.

On avait appelé le procureur de Neuchâtel à La Chaux-de-Fonds sur une scène de crime. Mais de crime, pour l'instant, il n'y avait aucune preuve. Ce n'était qu'un de ces «autres événements sérieux» du code de procédure. C'est-à-dire tout et rien : un accident mortel sans responsabilité de tiers, un incendie d'origine technique, un crash d'avion, un décès suspect susceptible d'aboutir à un constat médical excluant toute poursuite pénale, comme un suicide, une overdose ou une simple défaillance cardiaque. En l'espèce, il s'agissait de la mort d'un toxico.

Son appartement était perché sous les toits d'un vieil immeuble de la rue Alexis-Marie-Piaget. L'odeur de putréfaction s'était répandue dans la cage d'escalier et gagnait les étages inférieurs.

Comme celle du sang, l'odeur de la mort est tenace. Elle s'accroche aux vêtements, aux poils du nez, à la mémoire. Impossible de s'en débarrasser.

— On se croirait revenu au col du Sanetsch, souffla Norbert Jemsen en grimpant péniblement les marches.

Derrière lui, Flavie approuva d'un « oui » étouffé. Elle était éreintée par la montée des trois étages et l'intense chaleur qui envahissait les couloirs de l'immeuble. Elle aussi avait pensé au col du Sanetsch. La puanteur qui régnait dans la bergerie, au pied du glacier des Diablerets. Le cadavre d'Ange Mariani.

Parvenu au palier du troisième, le procureur se tourna vers sa greffière. Elle avait mauvaise mine.

— Vous n'avez pas dormi, n'est-ce pas ?

— Pas beaucoup.

Il en connaissait la cause. Rien à voir avec la météo.

— Vous devriez prendre des vacances.

— Pourquoi ? Pour me retrouver seule chez moi ? Avec un mari fantôme et la chambre vide de Mathilda, à me faire un sang d'encre pour Tanja ? Non merci. Je préfère cent fois être ici.

Jemsen savait que l'inspectrice Tanja Stojkaj avait refusé que Flavie l'accompagne à Lausanne. Tanja était une louve solitaire. Fière, mais blessée. Elle n'avait pas eu besoin de béquilles. Elle y était allée seule. Elle avait reconnu le corps de sa mère et encaissé les révélations sur la disparition de son fils. Flavie avait mal vécu ce refus de sa compagne. Jemsen se risqua à la consoler.

— Vous savez, Tanja est en de bonnes mains avec la police vaudoise…

Ils furent interrompus par une voix tonitruante et familière.

— Bienvenue en enfer !

Le commissaire Daniel Garcia déclina poliment la main que lui tendait le procureur en montrant les gants en latex qu'il portait. L'officier de service affichait un large sourire. Il reprit :

— Un enfer au goût de paradis.

— Au goût de paradis ? Il n'en a pas l'odeur en tout cas.

— Peut-être, mais ce connard de Toni Almeida ne nous emmerdera plus.

Garcia tendit deux paires de gants en latex au procureur et à sa greffière.

— J'ai aussi un tube de Vicks pour les narines sensibles.

Jemsen et Flavie suivirent le policier dans l'appartement du toxicomane. Vaisselle sale empilée, sacs poubelles entassés, le désordre était généralisé, la crasse omniprésente. Quelqu'un avait eu l'idée d'ouvrir les fenêtres, en vain.

— Qu'est-ce qu'on entend ? demanda le procureur.

Il y avait comme un murmure de voix d'enfants.

— Ce sont les gosses, dit Garcia. Ils s'amusent et s'émerveillent devant les animaux. De l'autre côté de la rue, c'est le Bois du Petit-Château. Avec la chaleur, les instits organisent des sorties de classe dans les parcs zoologiques. Moi, je vous emmène voir une bonne grosse loutre qui baigne dans sa merde. Suivez-moi.

Garcia les conduisit dans la salle de bains, où un inspecteur scientifique du service forensique, revêtu d'une combinaison blanche, discutait avec le médecin du SMUR.

— Je vous présente Toni Almeida, annonça le commissaire. Ou du moins ce qu'il en reste…

Dans la baignoire, l'amas de chairs noircies ne ressemblait plus à grand-chose. En état de décomposition avancée, le corps était gonflé partout. Autour de lui, l'eau brunâtre semblait solidifiée en surface. Des lambeaux de peau se fondaient à la masse visqueuse.

Le spectacle évoqua dans l'esprit de Flavie un gros flan au caramel ayant largement dépassé sa date de péremption. Elle eut une moue dégoûtée, hésita entre quitter la pièce ou demander le tube de Vicks au chef des stups. Mais une forme de fascination morbide la retenait. Comment un être humain fait de chair et de sang pouvait-il être réduit à une telle abomination ?

À côté d'elle, Jemsen ne bronchait pas. Stoïque, il remarqua :

— Cet homme – si tant est qu'il s'agisse d'un homme – est totalement méconnaissable. Comment savez-vous qu'il s'agit bien du locataire de l'appartement ?

Garcia eut un sourire poli.

— On fera une analyse ADN ou une comparaison d'empreintes dentaires. Mais perso, je sais que c'est lui. Je le reconnaîtrais entre mille, même s'il n'en restait que le squelette. Je l'ai côtoyé tellement souvent dans mes enquêtes ! Jamais d'aveu, toujours arrogant. Il se vantait de n'avoir jamais parlé à la police. Sa phrase préférée, c'était : «Je ne suis pas une balance.» Il la lâchait à tout bout de champ, mais sans la prestance d'un vrai caïd. Une tête à claques, rien de plus.

— Que s'est-il passé ?

La réponse vint de l'inspecteur scientifique.

— Le voisin du dessous a alerté la police. Il a remarqué une tache d'humidité au plafond. Des gouttes ont commencé à suinter et à embaumer son logement.

— Mais le corps n'a tout de même pas pourri tout de suite ? s'étonna Jemsen.

— Pardon de vous donner des détails, monsieur le procureur. Je vous confirme qu'Almeida n'a pas pris de bain. La bonde n'était pas abaissée, j'ai vérifié. Il a dû prendre une douche et s'écrouler. Sa mort remonte à plusieurs jours. L'eau a continué de s'écouler normalement pendant des heures, jusqu'à ce que la putréfaction du corps finisse par boucher le conduit d'évacuation.

3

«Lausanne – Le corps mutilé d'une femme découvert dans un appartement de la rue Neuve. La police recherche un enfant de deux ans qui vivait avec la septuagénaire.»

Tanja avait découvert l'article dans l'avion qui la ramenait de sa mission en Corse avec Norbert Jemsen. Elle avait failli hurler, prisonnière paniquée du vol Bastia-Genève, dans l'impossibilité de téléphoner.

S'agissait-il de sa mère et de son fils? Elle n'avait jamais cru aux coïncidences. Pas elle. Pas une agente de la police fédérale, qui avait passé son temps à cacher sa famille pour la protéger des milieux mafieux qu'elle infiltrait. Dès l'atterrissage à Cointrin, elle avait contacté la police cantonale vaudoise et obtenu confirmation.

Sa vie avait basculé.

Lausanne se réveillait sous un soleil de plomb. La place de la Riponne, son marché, la rue Neuve, l'iconique immeuble construit en 1875, surnommé depuis «Le Pointu» dont on disait ici que le Flatiron Building de New York n'était qu'une copie. Et en face, le lieu du crime.

La police vaudoise, Tanja avait décidé de s'en affranchir. Les enquêteurs de la brigade criminelle s'étaient contentés de l'interroger longuement dans les bureaux de la Blécherette, mais ils ne lui avaient rien appris. Elle ne leur avait pas révélé ses secrets non plus.

— Dois-je reconnaître le corps de ma mère ?

— Ce ne sera pas nécessaire. Nous nous contenterons d'une analyse ADN.

Tanja savait ce que signifiait une réponse aussi claire : les mutilations avaient rendu le visage méconnaissable. En évitant de le préciser, l'inspecteur avait imaginé la protéger d'un nouveau choc, comme s'il ignorait qu'il s'adressait à une consœur. Sa tentative d'installer une forme d'empathie était plutôt maladroite.

Le restaurant Le Pointu rappela à Tanja la nuit qui avait précédé son départ pour la Corse. Elle avait aperçu celui qu'elle appelait le « gros con », un juge lausannois avec qui elle avait eu une liaison. Six mois. Un père qui ignorait qu'il était père, un homme de loi qui buvait un verre dans un établissement public qui ne lui ressemblait pas, à quelques enjambées de l'entrée du vieil immeuble où vivait son fils. Une autre coïncidence à laquelle Tanja n'avait pas cru. Que faisait-il rue Neuve ce soir-là ? Elle se souvenait du tour qu'elle avait fait dans le bois de Sauvabelin pour éviter le « gros con », des dealers qui l'avaient abordée, de son retour deux heures plus tard chez sa mère. Elle avait déposé un doux baiser sur le front de son fils endormi, puis avait prévenu sa mère qu'elle avait vu le « gros con » en bas de chez elle. Elle lui avait dit de faire attention.

— Tu crois qu'il est au courant pour Loran ?

— Je ne sais pas, maman.

— Mais comment l'aurait-il appris ?

— Il est juge, maman.

— Et alors, Tanja? Les juges sont comme nous. Ils vont aux cabinets comme tout le monde.

L'image l'avait fait sourire. Sa mère tenait des Suisses ce sens de l'à-propos très pragmatique qui rend la vie quotidienne moins routinière. Tanja avait réitéré ses recommandations de prudence, serré une nouvelle fois Loran dans ses bras. Son fils lui avait souri dans un demi-sommeil. Ensuite, elle avait pris la route de Genève, pour sa mission d'infiltration en Corse.

Passé Le Pointu, Tanja traversa. Elle entra dans le vieil immeuble de la rue Neuve. En montant les marches jusqu'au quatrième étage, elle se revit une année plus tôt, la boule au ventre, lorsqu'elle avait pris le risque de quitter en pleine nuit le Perla Blu, le salon de massage de Berti Balla où elle menait une mission d'infiltration, déguisée en pute.

Elle avait la même sensation, cette même boule, mais pour une autre raison. Ses pires craintes se réalisaient.

Rien n'avait changé. Les vieilles marches, les lattes qui grincent, la rampe qui colle, les paillassons usés et les chaussures des locataires jetées devant les portes, à chaque palier. Au quatrième étage, Tanja lâcha un soupir de désespoir en apercevant les scellés de la police. Comme si, jusqu'à cet instant, elle n'y avait pas cru. Comme si elle vivait un cauchemar éveillé, dont elle allait bientôt émerger.

Elle plongea nerveusement une main dans sa poche, sortit un couteau à cran d'arrêt. L'éjection de la lame provoqua un faible cliquetis dans la cage d'escalier. L'acier glissa entre la porte et le cadre, coupant net les rubans plastifiés soigneusement apposés par la police vaudoise.

4

— Donc, vous admettez le bris des scellés ?

Tanja n'avait pas écouté la question de la présidente. Son esprit était ailleurs, perdu dans la neige qui tombait derrière les fenêtres du tribunal. Son regard épuisé croisa celui de Jemsen. Protégé par sa carapace de velours noir bordée d'hermine, le procureur affichait un visage impassible. Que pouvait-il penser d'elle ?

Tanja avait vaguement entendu la juge demander aux parties si elles avaient des questions préjudicielles qui justifieraient le renvoi de l'audience. Jemsen avait secoué négativement la tête.

— Aucune, madame la présidente, avait répondu à son tour Oscar Studer.

L'avocat comme le procureur avaient renoncé à ce que soit lu l'acte d'accusation. La liste était longue et connue. Le renvoi devant le tribunal criminel impliquait la possibilité d'une peine de prison qui pourrait excéder deux ans. Une éternité, dont on déduirait les quatre mois que Tanja venait de passer en détention provisoire. Quatre mois confinée dans une cellule de douze mètres carrés, seule, vingt-trois heures sur vingt-quatre, une heure de promenade par jour. Ni téléphone ni visites.

À côté de la prison de Lonay, la grande salle de l'hôtel

de ville de La Chaux-de-Fonds, avec ses parquets, ses boiseries, ses tableaux, son poêle en faïence et ses lustres, ressemblait à un palace. L'image solennelle de la Justice.

La présidente reprit la parole.

— Maître, pourriez-vous rappeler à votre cliente que son interrogatoire a débuté ?

— Avec tout le respect que je dois à cette cour, madame la présidente, garder le silence fait partie de ses droits.

— Je lui ai rappelé ses droits en début d'audience, maître, et elle a accepté de répondre aux questions du tribunal.

L'échange entre la magistrate et son avocat sembla réveiller Tanja.

— Euh… oui, oui… j'accepte de répondre.

La présidente répéta sa question.

— Je disais : donc, vous admettez le bris des scellés ?

— Oui.

— Pourquoi ne pas avoir demandé à la police vaudoise l'autorisation de vous rendre dans cet appartement ?

— Parce qu'elle n'aurait pas accédé à ma requête. À cause des traces…

La présidente eut l'air étonnée, elle ajusta ses lunettes.

— Ce n'est pas la réponse que vous avez donnée au procureur. Dois-je vous rappeler les déclarations que vous avez faites lors de l'instruction ?

Tanja les connaissait trop bien. Elle avait dit qu'elle n'avait aucune confiance en la police vaudoise : « Parce que le père de mon fils est juge à Lausanne. »

Face au silence de la prévenue, la présidente continua.

— Frédéric Ansermet est juge du siège, tout comme les trois juges que vous avez en face de vous. Il n'est – et n'a jamais été, à ma connaissance – ni procureur ni juge d'instruction. Dans ces conditions, il n'a que très rarement affaire à la police.

«Très rarement» suffisait à justifier de la méfiance dans l'esprit de Tanja. Depuis l'affaire du *Vénitien* et sa dernière mission en Corse, sa confiance en la police et la justice était fortement ébranlée. Elle savait que le «gros con» était capable de tout. La seule personne en qui elle avait cru était le procureur Jemsen, jusqu'à ce qu'il se retourne contre elle et la fasse arrêter.

— Peu importe…, lâcha Tanja.

— Au contraire, dit la juge. Cette question est importante aux yeux du tribunal. Nous y reviendrons.

La présidente se tourna vers ses deux assesseurs, qui hochèrent la tête. Ils reviendraient sur le sujet. La juge reprit :

— Si vous préférez vous taire au sujet du juge Ansermet, peut-être accepterez-vous de nous parler de Robert Balla ?

À l'évocation du maquereau albanais, un frisson parcourut Tanja.

— Oui…, lâcha-t-elle d'une petite voix.

— Bien. Dans ce cas, pouvez-vous expliquer au tribunal quand et comment Balla Robert, dit Berti, intervient dans cette histoire ?

5

Robert Balla croupissait en prison depuis le 28 septembre 2017. Une année. En Occident, pour une espérance de vie moyenne de quatre-vingts ans – certes réduite pour des criminels de l'envergure de l'Albanais –, une année d'incarcération représentait un ratio élevé, mais au regard de la sentence de réclusion à vie que le tribunal avait, au terme d'une interminable instruction, prononcée contre ledit Berti, c'était une paille.

Lors du procès, l'agente infiltrée avait été entendue par la Cour, via un système de vidéoconférences qui masquait son visage et déformait sa voix. Le dispositif était destiné à la protéger, notamment aux yeux du public. Balla, lui, savait parfaitement à quoi elle ressemblait et qui elle était, elle avait tapiné pour lui sous le nom d'Alba Dervishaj. Mais il n'avait pu obtenir la moindre information sur son véritable nom, ses complices en liberté non plus. Depuis un an, Berti mûrissait une vengeance contre un fantôme, un *fantazmë* comme on disait en albanais.

La loi garantissait l'anonymat de l'agent infiltré et c'était normal. Sur la base du seul témoignage d'Alba,

Berti Balla avait été reconnu coupable de l'assassinat d'une prostituée torturée qui répondait au nom d'Aureola. Son cadavre n'avait jamais été retrouvé et il n'existait aucune preuve du crime. Mais la parole d'un policier assermenté comptait plus aux yeux de la justice que celle de n'importe quel quidam. Si l'Albanais pouvait encore comprendre ça, il n'arrivait pas à digérer l'idée d'avoir été piégé par une fille, une poule qui se décrivait comme une louve solitaire. Une pute, vulgaire marchandise, son fonds de commerce.

À cet affront pour le mâle dominant s'était ajoutée selon lui une erreur judiciaire. Le procureur Jemsen avait réussi à convaincre le tribunal de le reconnaître coupable du meurtre d'Hassan Marku. Son homme de main avait mystérieusement disparu. Les juges avaient condamné Robert Balla pour l'élimination de ce témoin gênant. Pourtant, son corps n'avait pas non plus été retrouvé. Pour Berti, Marku avait dû fuir et s'était certainement réfugié en Albanie ou dans un autre pays. La Grèce et la Macédoine accueillaient bon nombre de criminels balkaniques sous de fausses identités. Balla était convaincu que tôt ou tard Marku referait surface. Peut-être à l'occasion d'une arrestation et d'une extradition. Mais quand ? Un mort ne pouvait pas faire l'objet d'un mandat d'arrêt international. Berti s'impatientait.

Son avocat allait faire appel, plaider son acquittement pour les deux homicides en deuxième instance. Mais à quoi bon ? Il restait tant d'autres accusations irréfutables : participation à une organisation criminelle, traite des êtres humains, proxénétisme, blanchiment d'argent… Même si Berti gagnait en appel, il n'échapperait pas à une lourde condamnation.

L'exécution anticipée de peine qu'il avait requise tardait à être mise en œuvre. Les listes d'attente en vue d'un transfert dans un pénitencier étaient longues. Dans l'intervalle, Berti moisissait dans une cellule surchauffée de la prison préventive de La Chaux-de-Fonds, accablé par la canicule et son ardent désir de vengeance. Cette pute d'Alba ne lui avait pas seulement fait perdre sa liberté. Elle l'avait aussi et surtout privé de sa virilité. Double orchidectomie – ablation des deux testicules.

Selon la version officielle, il avait lourdement chuté sur une rampe d'escalier en tentant de prendre la fuite au moment de son arrestation. Mais Berti se souvenait très bien de ce qui s'était réellement passé et de cette souffrance lorsqu'Alba avait saisi à pleine main son appareil génital qu'elle avait broyé de rage. Depuis, ses érections étaient rares, imparfaites et réveillaient en lui des douleurs fantômes.

Il s'était juré de le lui faire payer. Il y pensait sans arrêt. La note serait tellement salée que toutes les larmes de son corps lui sembleraient bien douces. Sa revanche était imminente. Un de ses contacts lui avait fait passer un message en prison. Il avait retrouvé la trace d'Alba, l'avait suivie et avait découvert sa faille, son talon d'Achille : sa mère et son fils, une vieille femme et un enfant en bas âge qui vivaient dans un appartement de Lausanne.

Au moment où Berti Balla ruminait les détails de sa vengeance pour la centième fois, transpirant sur son lit, les yeux rivés au plafond, à lire et relire les mêmes graffitis insignifiants, un bruit le fit sursauter. Quelqu'un venait de lancer un caillou à travers les barreaux de sa cellule.

6

De son vivant, Toni Almeida faisait partie de ces déchets humains qui vivent aux crochets de la société et de l'État. Toxico au dernier degré, il avait délaissé la Riviera vaudoise pour les Montagnes neuchâteloises, où l'aide sociale était alors largement distribuée, sans aucun contrôle. Avec un chien, c'était encore mieux : le canton finançait gracieusement le soutien moral que représentait un animal de compagnie pour une personne défavorisée. *Des impôts pour des croquettes*, se dit Jemsen. Et il pensa que le chien d'Almeida avait disparu. Le bol de pâtée grouillait d'asticots, en plein soleil, dans une gamelle à la cuisine. Mais le cadavre dans la baignoire dégageait une puanteur autrement violente.

— Pas besoin d'avoir fait huit ans d'études pour dire que cet homme est mort, maugréa le médecin du SMUR en signant le certificat de décès.

La question était plutôt de savoir s'il s'agissait d'un homme ou d'autre chose. *On dirait l'extraterrestre de Roswell*, se dit Flavie en serrant un mouchoir sur son nez.

— Ça me rappelle une scène assez cocasse, intervint Dan Garcia. Avec mon ancien collègue Mike Donner, nous avions été appelés pour une levée de corps chez

33

une vieille tox, héroïnomane depuis plus de trente ans. Ça puait dans les couloirs de l'immeuble, comme ici. On est entré chez elle, grosse flaque de vomi derrière la porte, Mike marche dedans, jure un bon coup, on cherche partout dans l'appartement, pas de corps. Jusqu'à ce qu'on se rende compte que Mike avait piétiné ce qui restait du cadavre.

— J'imagine que vous devez encore en rire aujourd'hui, ironisa Jemsen.

— Pas vraiment, répondit laconiquement le chef des stups.

Jemsen se rappela alors que l'inspecteur Michaël Donner était mort en service. Comme pour couper court au malaise qui s'était installé, le médecin du SMUR les salua et s'en alla. L'enquêteur du service forensique se releva. Des résidus maculaient les manches de sa combinaison. Il annonça qu'il avait lui aussi terminé ses investigations. On pouvait appeler les pompes funèbres. Un corbillard attendait dans la rue Alexis-Marie-Piaget depuis une dizaine de minutes. Les deux croque-morts montèrent et gagnèrent directement la salle de bains. Ils restèrent impassibles à la vue du cadavre décomposé.

— Vous ordonnez la levée du corps ? demanda le plus grand des deux au procureur.

Jemsen était perturbé par leur tenue impeccable et identique : costume noir, chemise blanche, cravate et richelieus vernis. Très classe, mais peu adaptée à la canicule. Il souffrait pour eux.

— Oui, vous pouvez enlever le corps.

— Et où l'emmenons-nous ?

— Au CURML, répondit Garcia. Retour dans la ville qu'il n'aurait jamais dû quitter.

Les autopsies se pratiquaient toujours au Centre universitaire romand de médecine légale d'Épalinges, à deux pas de Lausanne. C'était un énorme bunker qui ne détonnait pas avec l'énorme villa voisine de vingt-cinq pièces où Simenon avait écrit tous ses Maigret et qu'il avait fallu trois ans pour détruire et remplacer par des immeubles d'habitation poétiquement rebaptisés «La colline des rêves».

— Les légistes sont informés? demanda encore le plus grand des deux croque-morts?

— Ils vous attendent.

Les employés des pompes funèbres enfilèrent des protections intégrales sur leurs costumes, étendirent soigneusement une housse plastifiée sur le carrelage de la salle de bains. Puis ils se coordonnèrent pour sortir le cadavre de la baignoire. Au moment où ils levèrent le corps, la tête se détacha du tronc et retomba dans l'eau opaque, éclaboussant un des deux hommes en plein visage. Imperturbables, ils posèrent le corps dans la housse.

Un bruit de siphon résonna soudain dans la pièce. Le déplacement du corps avait libéré la bonde. Dans un horrible gargouillis, l'eau emporta une partie des chairs liquéfiées de Toni Almeida dans les égouts.

— Il a eu l'enterrement qu'il méritait, lâcha Garcia.

Jemsen rejoignit Flavie dans le salon. La greffière avait préféré s'éloigner de la salle de bains pendant le travail des pompes funèbres. Le procureur la trouva en train de pianoter sur son téléphone portable.

— Des nouvelles de Tanja? lui demanda-t-il.

— Non. Elle ne répond pas à mes messages.

Quatre notifications.

«Navrée, ma belle, ce n'est pas le moment.» Tanja se déconnecta de WhatsApp sans ouvrir les messages de Flavie. Elle rangea son téléphone et son couteau dans la poche de son pantalon, inspira profondément pour tenter d'atténuer la boule qu'elle avait au ventre, tourna la clé dans la serrure et actionna la poignée. Fait inhabituel, la porte de l'appartement de la rue Neuve s'ouvrit en grinçant. Peut-être avait-elle été forcée par l'assassin.

Le bruit attira l'attention de la voisine de palier, une dame âgée que Tanja n'avait jamais vue, et pour cause : toutes ses visites à sa mère et à son fils se faisaient dans la plus grande discrétion, souvent tard le soir, voire au milieu de la nuit lorsqu'elle était en mission d'infiltration. Par l'entrebâillement de la porte, la vieille la regardait bizarrement. Si elle était du genre à espionner le couloir par le judas, elle l'avait peut-être déjà vue. Tanja décida de prendre le risque.

— Je suis de la police, annonça-t-elle avec un sourire engageant.

Dans le même temps, elle présenta sa carte de légitimation. Trop rapidement pour que la voisine puisse voir que Tanja n'appartenait ni à la police cantonale vaudoise ni à la police municipale de la ville de Lausanne. La vieille haussa les épaules, émit un grognement et referma sa porte sans un mot.

L'appartement de la rue Neuve était haut de plafond, avec des parquets encaustiqués. Le vestibule s'ouvrait directement sur le salon. Murs blancs, décoration sommaire, fenêtres au sud donnant sur une cour intérieure. Pas de vue sur le lac Léman et les Alpes savoyardes.

Le regard de Tanja s'arrêta sur le canapé où sa mère avait l'habitude de lire. Elle soupira. Une odeur de Javel flottait dans l'air. Les nettoyeurs étaient passés la veille, avec la bénédiction de la brigade criminelle. La police scientifique avait travaillé rapidement. Les lieux avaient été fixés, les traces prélevées, la scène de crime filmée, photographiée sous tous les angles et scannée en 3D. Après le ménage, les scellés qu'elle venait de briser avaient été reposés au cas où l'enquête justifie des investigations complémentaires, de nouvelles analyses ou une reconstitution.

Tanja repéra quelques taches jaunies sur le canapé et le mur. La marque du sang est tenace. Sur certaines surfaces, même l'eau de Javel ne suffit pas à le faire complètement disparaître.

La table du salon était renversée et le verre brisé. Il y avait eu une lutte. Mais sans doute pas bien longue. Les rapports de force entre la mère de Tanja et l'assassin étaient forcément inégaux.

Un miroir contre le mur avait été bougé. Sans y penser, Tanja le remit droit. La glace lui renvoya le reflet d'une femme abattue, épuisée par sa récente mission en Corse, dévastée par le drame qu'elle avait appris lors du voyage de retour. Elle avait peu dormi depuis une semaine. Elle avait le teint pâle, des cernes gonflés sous ses yeux rouges, et les cheveux hirsutes dressés en chignon sur la tête.

Le miroir lui renvoya aussi des images du passé. Des rires, des pleurs, des craintes. La peur de mettre en péril ses proches à cause de son travail, la peur que le «gros con» découvre sa paternité et revendique des droits sur son fils. Elle se souvenait d'avoir été paniquée lorsqu'elle l'avait vu rôder vers Le Pointu. Frédéric Ansermet avait-il découvert la vérité? Elle s'était pourtant montrée prudente. Avait-il voulu voir Loran?

Sa mère s'était peut-être interposée. Une dispute qui aurait mal tourné, un homicide non prémédité, suivi d'un enlèvement d'enfant. Ou alors il s'agissait d'un assassinat pur et simple. Pour l'atteindre, elle, et la détruire.

Les questions tournaient dans l'esprit de Tanja. Elle avait l'impression de ne pas se poser les bonnes, de ne pas analyser correctement la situation. Elle manquait sans doute de sommeil, de recul. Sa seule certitude, le meurtrier s'était acharné sur le corps de sa mère et la police n'avait retrouvé qu'un seul cadavre. Son fils avait disparu.

Tanja se sentait perdue. Elle ne savait pas par où commencer. Elle tourna en rond dans le salon, s'énerva, frappa du poing contre le miroir qui se brisa. Il fallait qu'elle sache. Elle devait se rendre compte par elle-même de l'étendue du désastre, visualiser la scène, comprendre ce qui s'était passé, mesurer le degré de haine de l'assassin.

Après quelques minutes à ressasser les mêmes questions, elle retourna au parking de la Riponne pour chercher du matériel dans le coffre de sa voiture.

À l'extérieur, la neige tombait sans discontinuer.

La présidente du tribunal criminel attendait une réponse qui ne vint pas. Tanja fixait le sol devant elle.

— Êtes-vous en état de répondre à mes questions ? s'inquiéta la magistrate en constatant l'apathie de la prévenue.

— Oui, madame la présidente.

— Dans ce cas, expliquez-nous un point qui ne semble pas clair dans votre esprit. Quelle est la chronologie des faits entre l'évasion de Robert Balla et votre déplacement à Lausanne ?

— Berti s'est évadé après mon voyage à Lausanne.

— Ce fait est avéré, mais ce n'est pas ce que vous avez déclaré lors de l'instruction.

— J'ai répondu que je ne savais pas.

— Devant le procureur Jemsen, vous avez émis l'hypothèse que Robert Balla était responsable de ce qui était arrivé à votre mère et à votre fils.

— Je vous confirme que je l'ai dit.

— Or, c'est impossible, puisque Robert Balla était encore détenu à la prison de La Chaux-de-Fonds au moment du meurtre de votre mère et de l'enlèvement de votre fils.

— Il aurait pu les commanditer depuis sa cellule.

— Robert Balla était pourtant détenu dans le secteur «étanche», sans droit de visite ni accès au téléphone.

— Tout le monde sait qu'on introduit très facilement un téléphone portable dans une prison préventive.

— Admettons, soupira la juge. Mais si j'en crois le dossier vaudois, ni Robert Balla, ni quiconque, n'a rendu visite à votre mère. L'unique personne que les habitants de l'immeuble aient vue à plusieurs reprises, avant et après les faits, c'est vous. Abstraction faite de Mme Reymond, la voisine de palier, qui n'a hélas pas corroboré vos dires.

— Mme Reymond est une vieille dame. Je doute qu'elle ait passé vingt-quatre heures sur vingt-quatre derrière son judas. Il doit lui arriver de dormir ou de sortir.

— Vous reconnaissez toutefois vous être justifiée de votre présence au moyen d'une carte de police ?

— Oui, je le reconnais.

— Vous admettez donc l'usurpation de fonction qui figure dans l'acte d'accusation ?

— Oui, madame la présidente.

Plus que d'*usurpation de fonction*, c'était d'*abus d'autorité* qu'il s'agissait, mais Tanja avait admis l'infraction, en accord avec Jemsen. Elle tourna la tête vers le procureur qui évita son regard. Tanja se demanda ce qu'il éprouvait à ce moment précis. Déception ? Empathie ? Probablement un peu des deux.

La magistrate dicta les dernières réponses au greffier, qui les retranscrivit dans le procès-verbal d'audition. Puis se tournant de nouveau vers Tanja, elle reprit :

— Avec du recul, que pensez-vous de l'évasion de Robert Balla ?

— Je ne suis pas certaine de comprendre votre question, madame la présidente.

— Selon vous, qui a aidé Robert Balla à s'évader ?

— Je n'en ai aucune idée.

— Durant l'instruction, vous avez pourtant évoqué un lien entre le juge Frédéric Ansermet et Robert Balla.

À l'évocation du père de Loran, Tanja se tourna vers son avocat.

— Maître, suis-je obligée de répondre ? chuchota-t-elle.

— Non, répondit discrètement son défenseur. Je vous conseille néanmoins de le faire. Tenez-vous-en simplement à ce que vous avez déjà dit au procureur.

La prévenue reprit sa position initiale, face au tribunal. Doutant du conseil d'Oscar Studer, elle regarda une nouvelle fois sur sa droite en direction de Jemsen. Le représentant du ministère public était concentré sur la lecture d'une pièce du dossier. Elle comprit qu'elle ne trouverait pas d'appui de sa part et se résolut à répondre à la question.

— C'était une supposition, lâcha-t-elle.

— Une hypothèse de plus ?

— On peut dire ça comme ça. Après mon arrestation, j'en étais réduite à me défendre grâce à des hypothèses.

— Et aujourd'hui ?

— J'en suis au même stade.

— Pourtant, vous êtes allée très loin dans vos hypothèses. N'avez-vous pas soupçonné le juge Ansermet d'avoir organisé l'évasion de Robert Balla ?

— Je l'ai fait sur la base d'un fait divers dont j'avais pris connaissance sur Internet.

— Ah oui ! Une histoire corse, ironisa la présidente d'un ton cassant. J'ai lu votre déposition. Mais ici, nous ne sommes pas en Corse, chère madame. Au surplus, ce tribunal imagine mal qu'un juge vaudois puisse organiser l'évasion d'un détenu neuchâtelois.

9

Suspicieux, Robert Balla regardait le caillou qui venait d'atterrir dans sa cellule. Un fil était attaché autour de la pierre et pendait entre le sol et les barreaux.

Sans se précipiter, Berti se redressa et s'assit sur le bord de son lit. Il passa une main moite dans ses cheveux hirsutes, caressa sa barbe mal taillée d'un air pensif, attrapa ses lunettes sur la table de chevet et finit par s'approcher de la fenêtre. Derrière les barreaux, le filin descendait en direction de la rue de la Promenade. Il passait par-dessus le mur d'enceinte de la prison pour se perdre dans la nuit. Quelque part dans la rue, à l'abri des halos de l'éclairage public, une main le maintenait tendu.

Un téléphérique.

Berti en avait entendu parler. Un codétenu lui avait proposé d'utiliser ce système pour introduire de la marijuana et de la méthadone à l'intérieur de la prison. L'Albanais avait refusé son offre. La drogue ne l'intéressait pas. À ses yeux, elle était l'apanage des faibles. Celui qui lui avait envoyé ce câble depuis la rue s'était probablement trompé de cellule. *Le con!*

Balla était un détenu modèle, discret. Pas de vague, pas de scandale. Pas d'amis parmi la racaille. Les petites frappes qui se trouvaient entre ces murs pour de menus larcins, petits trafics de stupéfiants ou autres braquages de kiosques, ne l'intéressaient pas. Berti n'avait nul besoin d'une procédure disciplinaire. Pas la cellule forte, pas maintenant. Il attendait des nouvelles concernant Lausanne, il avait planqué un portable dans le local des douches. Les fouilles des cellules étaient trop fréquentes.

L'Albanais hésita, s'alluma une cigarette. Fumer en cellule était un des rares privilèges qu'on autorisait aux détenus.

Il envisagea d'appuyer sur le bouton de l'interphone, mais ce geste ferait aussitôt de lui une balance aux yeux des autres. De ça non plus, il n'avait pas envie. Et relancer le filin dans la rue était impossible. Le câble se prendrait immanquablement dans les barbelés et son ADN serait retrouvé sur le caillou.

Berti se sentit piégé. Il fuma négligemment sa clope et laissa les cendres tomber sur le sol de sa cellule en maudissant intérieurement l'imbécile qui se trouvait dans la rue. Il ne lui laissait pas le choix. Berti écrasa le mégot sur le bord de la fenêtre, saisit le filin et tira dessus. Dans la rue, l'autre lâcha du mou et laissa monter un double câble jusqu'au troisième étage de la tour. Berti le dénoua et le fit passer autour d'un barreau. Le système était prêt à fonctionner.

L'autre actionna le *téléphérique*. L'Albanais regarda le câble glisser autour de l'axe en acier. Un panier suspendu sortit de l'obscurité pour atteindre la cellule. Au fond du panier, un téléphone et des lames de scie enroulées. Aussitôt, le portable se mit à vibrer. Berti le prit et répondit.

Au bout de la ligne, une voix masculine au timbre métallique. Son interlocuteur parlait albanais.

— Scier les barreaux devrait te prendre trois ou quatre heures. Ne perds pas de temps. Ensuite, gagne le toit de l'aile ouest et longe-le jusqu'au mur d'enceinte qui suit la voie de chemin de fer.

— Les barbelés ?

— J'en fais mon affaire.

— Les lasers de façades ?

— Ils sont inactifs depuis belle lurette, à cause des oiseaux qui les déclenchaient à tout bout de champ. Dépêche-toi, je t'attends de l'autre côté du mur avec une voiture. Nous devons quitter la ville avant l'aube.

10

Le corps de Toni Almeida avait été emporté par les pompes funèbres et les égouts de la ville. Une odeur tenace de putréfaction demeurait dans l'appartement de la rue Alexis-Marie-Piaget. Dehors, les enfants continuaient de s'émerveiller dans le Bois du Petit-Château.

— Une chose est sûre, annonça Dan Garcia en rejoignant le procureur et sa greffière dans le salon, si c'est un meurtre, il ne reste pas grand-chose d'exploitable.

— Almeida vivait seul ? demanda Jemsen.

Le patron des stups hocha la tête.

— Dans ce cas, où est son chien ? s'inquiéta Flavie.

— Aucune idée. Quand les premiers intervenants sont arrivés, il n'y avait pas d'animal et la porte d'entrée était verrouillée de l'intérieur. Il a fallu faire appel à un serrurier.

— Donc, ce n'est pas un meurtre, conclut Jemsen.

— C'est effectivement peu probable. Vous avez entendu le toubib et le gars du service forensique. On s'achemine plutôt vers une cause naturelle. Avec cette chaleur et une bonne dose de cocaïne frelatée, le cœur a dû lâcher. Mais il faudra attendre les résultats de l'autopsie.

— Si tant est qu'il reste quelque chose à autopsier. Tous ses organes internes doivent être liquéfiés. Si ça se trouve, son cœur se balade en ce moment, quelque part entre ici et la station d'épuration.

Garcia hésita à répondre que c'était tout le mal qu'il souhaitait à ce connard, mais il garda la réflexion pour lui. Il jeta un coup d'œil dans le salon. Comme les autres pièces, il était dans un état d'insalubrité totale. Des piles de courriers non ouverts traînaient sur une table, ce qui est assez fréquent dans ce milieu. Le paiement des factures n'est pas la priorité des toxicomanes émargeant à l'aide sociale.

À côté de la télévision, il y avait un téléphone portable en charge. Le commissaire le prit. Par chance, l'appareil était allumé et ne requérait pas de code PIN.

— Cent quarante tentatives d'appel depuis cinq jours ! s'exclama Garcia. Ça donne une idée presque exacte de l'heure de sa mort et du nombre de clients qu'il a dû laisser en rade de coke.

— Ça va faire du monde à entendre, dit Jemsen.

— J'ai compris, dit Flavie. Je vais préparer des mandats.

Garcia fouillait rapidement la mémoire de l'appareil.

— Apparemment, il avait une petite amie.

— Vous la connaissez ?

— Je ne la connais que trop bien ! Une purge, comme lui.

— C'est peut-être elle qui s'occupe de son chien, suggéra Flavie.

— Peut-être. En tout cas, on ne peut pas dire qu'elle se soit beaucoup inquiétée du silence de son mec. Mais à en croire ce que je vois, elle avait d'autres préoccupations.

Le chef des stups montra au procureur des photos

46

de la fille, en fâcheuse posture. Prise en levrette par un Noir qui fixait l'objectif avec un grand sourire, une main sur les fesses de sa partenaire, l'autre levée en l'air, les doigts en signe de la victoire.

— Elle n'a pas l'air de s'éclater, commenta Jemsen.

— Mais eux, oui. La photo a été sûrement prise par le complice du Black. Des dealers. Il n'est pas rare que les consommatrices paient en nature.

— Qu'est-ce que ces photos font dans le portable de Toni Almeida?

— Je ne sais pas. Peut-être une preuve du paiement. Je vais la convoquer. On verra bien.

— Vous aviez déjà des infos sur elle?

— Pas récentes, mais elle n'a jamais arrêté son business. Coke, héro, speed, crystal. Cette fille est un vrai supermarché. Elle était aussi en contact avec Radovan Krtic, le tox du Landeron que Tanja a infiltré cet été.

Infiltré. Flavie n'avait jamais su à quel point son amie de cœur avait *infiltré* Rado. Tanja ne lui parlait jamais de ses missions. La greffière avait conscience que le boulot pouvait impliquer de donner de sa personne, sexuellement parlant. Un acte officiellement interdit pour un agent infiltré, mais dans le feu de l'action, la ligne rouge était vite franchie. Flavie n'en avait jamais non plus parlé à Tanja.

L'évocation de Tanja conduisit la greffière à vérifier ses messages. Toujours aucune nouvelle. Ce silence la rendait folle, mais elle prenait garde de ne pas le montrer. Jemsen la regarda et sourit tristement. Il avait compris. Il n'était pas dupe.

11

De retour dans l'appartement de la rue Neuve, Tanja déposa le matériel qu'elle était allée récupérer dans sa voiture. La voisine de palier n'avait pas rouvert sa porte, mais l'inspectrice avait deviné un discret mouvement du judas. La vieille pie devait la surveiller.

Un à un, elle sortit les objets du sac. Un pied-de-biche, un vaporisateur, un masque de protection et une bouteille de luminol qu'elle avait subtilisée dans un réfrigérateur du service forensique.

Ce que tu t'apprêtes à faire a-t-il un sens ? Tanja en doutait. Elle savait ce qu'elle allait trouver. Du sang. Rien que du sang. La révélation de ces traces répondrait-elle à ses interrogations ? Elle en doutait, mais elle sentait qu'elle devait le faire. Pour son fils.

Tanja ferma tous les volets de l'appartement et tira les rideaux. Puis elle glissa le masque de protection sur son visage, transféra le luminol dans le vaporisateur, éteignit la lumière. Une fois la pièce plongée dans l'obscurité, elle vaporisa la solution sur le canapé. Le contact du produit avec le sang, même lavé, provoqua une forte luminescence. Des taches bleues apparurent qui s'estompèrent après une trentaine de secondes.

Sur le canapé, il n'y avait que des projections de sang

provenant de la lutte entre l'assassin et sa mère. Elle n'avait pas été tuée là, en position assise. Tanja imagina la scène. La dispute, les cris, la bagarre. Sa mère s'était défendue, debout. Elle avait cherché à s'interposer avec ses moyens limités face à la force de l'assassin, à protéger Loran qui dormait dans sa chambre.

Premier coup de couteau.

Tanja vaporisa le luminol contre le mur du salon. Giclures bleues. Projections circulaires de plus d'un mètre. Artère touchée au niveau du cou. L'assassin aurait pu s'arrêter là, attendre l'affaissement de sa victime qui faiblissait déjà. Mais il avait la rage de tuer, la volonté d'achever son œuvre.

Deuxième coup de couteau.

Cœur percé. Hémorragie massive, essentiellement interne. Le sang qui s'était échappé de la plaie avait été vraisemblablement retenu par les vêtements. Les mains de sa mère avaient lâché l'assassin. Ses yeux s'étaient fermés, sa voix s'était tue. Son corps avait glissé doucement, puis heurté la table du salon qui s'était brisée sous son poids. Le verre s'était répandu sur le parquet.

Tanja vaporisa le luminol sur le sol, qui devint luminescent en plusieurs endroits. La Javel réagissait aussi au produit, mais plus faiblement. Entre les traînées bleues laissées par les brosses des nettoyeurs, on devinait encore une grosse flaque de sang, là où la tête de la victime avait reposé après sa chute. Tanja visualisa sa mère étendue. Le sang s'échappait de sa gorge. L'assassin s'était alors acharné sur son visage.

Troisième coup de couteau. Quatrième, cinquième, sixième, septième. Ensuite, il s'était relevé et s'était dirigé vers la chambre de Loran. Le luminol affichait des traces de semelles ensanglantées. Une grande pointure. Tanja sortit son couteau et, avant que la luminescence ne disparaisse, marqua le parquet. Elle ralluma la lumière et mesura : du quarante-sept ou du quarante-huit. Puis elle éteignit, remit du produit sur une trace de pas et la photographia au moyen de son téléphone.

Tanja se dirigea ensuite vers la chambre de son fils. Elle frissonnait. En entrant, elle chassa ses larmes d'un revers de main. Le petit lit de Loran était défait, légèrement déplacé. Le reste des meubles, les jouets, tout semblait à sa place.

Tanja hésita. C'était idiot. Son fils était en vie. Retenu prisonnier quelque part. C'est ce que la police vaudoise lui avait dit. Elle devait y croire, garder espoir. Mais si on lui avait menti ? Elle prit son courage à deux mains et vaporisa le luminol dans la chambre de Loran. Soupir de soulagement. Hormis une faible trace de semelle bleutée, pas de sang.

Tanja revint au salon et rouvrit les rideaux et les volets. Le soleil du matin baignait la pièce. La chaleur envahit aussitôt les lieux. Il était temps qu'elle parte, avant que la curiosité de la vieille pie d'en face ne la pousse à des vérifications auprès de la police locale. Mais avant ça, Tanja se livra à une dernière opération. Comme si elle cherchait à se convaincre que tout ceci n'était pas un simple mirage. À l'aide du pied-de-biche, elle souleva quelques lattes du parquet à l'endroit où le luminol avait révélé la plus grosse flaque de sang. Les nettoyeurs ne pensaient jamais aux interstices du plancher. Sous les lattes en bois, le sang de sa mère n'avait pas fini de sécher.

12

L'évasion de Berti Balla se déroula comme prévu.

L'Albanais mit trois heures à scier deux barreaux de sa cellule. L'effort et la chaleur qui persistait au cœur de la nuit le firent transpirer à grosses gouttes. Une fois les tiges d'acier retirées, il se changea et troqua son short et son débardeur pour des habits sombres, qui recouvraient ses jambes filiformes et les tatouages dépareillés de ses avant-bras. Conservant les lunettes qui lui donnaient un faux air intellectuel, il glissa son long corps rachitique à travers l'ouverture et joua les équilibristes entre la façade de la prison et le toit de l'aile ouest.

Berti avait balayé de son esprit les questions qu'il s'était posées en sciant les barreaux. Était-ce un piège? Un flic qui parlait albanais? De toute façon, au point où il en était, qu'avait-il à perdre? Il ne risquait pas de peine plus sévère que la réclusion à perpétuité.

Les caméras de surveillance déclenchèrent l'alerte quand il atteignit le toit. Il y eut le hululement d'une sirène dans la nuit chaux-de-fonnière. L'Albanais courut sur les tuiles, manqua de glisser une ou deux fois. Des projecteurs s'allumèrent. De puissants faisceaux balayèrent la cour de promenade, le mur d'enceinte et les façades des bâtiments. Des cellules s'illuminèrent et des têtes curieuses apparurent derrière les barreaux. Quand Berti arriva au bout du toit qui se confondait en cet endroit de la prison avec le mur d'enceinte, il constata qu'un matelas avait été jeté sur les barbelés. Il franchit l'obstacle et se retrouva au bord du vide. Une dizaine de mètres plus bas, c'était la liberté. Une échelle avait été accrochée pour qu'il puisse descendre.

La berline noire l'attendait un peu plus loin. Son mystérieux complice lui fit des appels de phares. En courant, Berti se débarrassa du téléphone portable – l'appareil, la batterie, cassa la carte SIM entre ses doigts – et s'engouffra sur le siège passager.

Quand la police commença à dresser des barrages, la voiture avait déjà quitté la ville.

L'ironie cassante de la présidente du tribunal criminel glissait sur Tanja comme la pluie *sur* les ailes d'une mouche. Le juge, ses assesseurs, le greffier, le procureur. Même son avocat. Ils pouvaient tous penser ce qu'ils voulaient d'elle, ça lui était égal.

— Êtes-vous impliquée dans l'évasion de Robert Balla?

— Non.

— Vous contestez donc l'assistance à évasion que le ministère public vous reproche dans l'acte d'accusation?

— Absolument.

— Pourtant, le dossier contient à ce sujet des éléments qui ne vous sont pas favorables.

— Les apparences sont contre moi.

— Les apparences? Il s'agit de bien plus que ça, chère madame. On parle ici de preuves accablantes.

— On m'a piégée.

La présidente sourit.

— Piégée? N'est-ce pas plutôt vous qui avez piégé Robert Balla et Frédéric Ansermet?

Tanja ne répondit pas. Elle était fatiguée, usée de répéter cent fois les mêmes arguments pour sa défense.

Tanja appliqua ce que la vie lui avait enseigné pour se protéger des personnes qui la prenaient de haut : les imaginer en tenue d'Ève. Elle fixa la présidente et se la représenta nue sous sa robe de magistrate, comme un Écossais sous son kilt. *Si vous saviez ce que ces deux hommes m'ont fait subir…* Elle imagina la présidente, attachée sur un lit du Perla Blu, offerte aux pires déviances des clients de son bordel, son intimité violée par Berti Balla.

— Dois-je répéter ma question ? relança la magistrate.

— Non, madame la présidente.

— Non, quoi ?

— Non, je ne les ai pas piégés.

— En êtes-vous sûre ?

Tanja regarda Jemsen. Le procureur non plus ne la croyait pas, elle en était persuadée. Sinon, il ne l'aurait pas arrêtée ni ne l'aurait renvoyée en jugement. Au début, elle le pensait son allié. Il ne l'était plus.

— Faites de moi ce que vous voulez, finit-elle par lâcher. Je sais ce que j'ai fait et ce que je n'ai pas fait. Et tout ce que j'ai fait, je l'ai fait pour ma mère et mon fils.

— Par vengeance ? demanda la magistrate.

— Pour que justice soit rendue.

— Comme passer l'appartement de votre mère au luminol ?

— Par exemple.

— Que cherchiez-vous en faisant cela ?

— Probablement à me convaincre qu'on ne m'avait pas menti au sujet de mon fils. Qu'il n'était pas mort lui aussi dans cet appartement.

— Pourquoi la police vaudoise vous aurait-elle menti ?

— Je ne sais pas. Il faut se replacer dans le contexte, à l'époque des faits. Ma mère avait été assassinée, mon fils avait disparu, j'avais des soupçons contre le père de Loran…

— Toujours cette lubie d'un lien entre la police vaudoise et le juge lausannois ?

— Oui.

Tanja revoyait le moment où elle avait vaporisé le luminol dans la chambre de son fils. La crainte de découvrir l'impensable, d'autres éclaboussures de sang. En refermant la porte de cette chambre vide, Tanja avait repensé à Flavie, à la chambre de sa fille, Mathilda, rangée comme un mausolée. Mathilda était morte dans un accident de circulation dans le courant de l'automne 2015. Depuis, Flavie n'avait jamais eu le courage de toucher à la chambre de sa fille, elle avait même failli se battre avec son mari quand il avait voulu donner ses vêtements. Tanja fut tirée de sa rêverie par une nouvelle question de la présidente.

— Grâce au luminol, vous avez découvert l'existence de traces de chaussures de taille quarante-sept. À ce moment-là, avez-vous pensé que l'assassin pouvait être Robert Balla, au vu de sa stature ?

— L'idée m'a traversé l'esprit.

— Et pourtant Robert Balla était encore détenu à la prison de La Chaux-de-Fonds au moment du meurtre de votre mère. Par ailleurs, nous savons aussi, vous et moi, que le juge Frédéric Ansermet n'a rien à voir avec l'évasion de Robert Balla. Dès lors, si ce n'est ni vous ni le père de Loran qui a organisé cette évasion, qui est-ce ?

14

Le jour déclinait, mais la touffeur était encore là, comme en plein soleil. Tout Lausanne était prostré.

Le juge Ansermet entrouvrit la fenêtre de son bureau, qu'il referma sur une bouffée d'air chaud. Sur l'arête de la colline de Montbenon, le palais de justice était baigné d'une lueur orangée. L'imposant bâtiment de style néo-Renaissance abritait le tribunal d'arrondissement. Bâti entre 1881 et 1886 par l'architecte Benjamin Recordon, il avait été conçu à l'origine pour y loger la plus haute cour helvétique, le Tribunal fédéral. Mais après la Grande Guerre, les juges suprêmes avaient déménagé au parc de Mon-Repos.

Ansermet quitta son bureau et traversa le grand hall dominé par de hautes colonnes destinées sans doute à rappeler la force de la loi. Aux yeux du public, les magistrats devaient être sans faille, juchés sur leur piédestal. Ils disaient le droit et n'avaient pas le droit à l'erreur. Mais ils restaient avant tout des êtres humains, avec leurs forces, leurs faiblesses. Et des erreurs, Frédéric Ansermet en avait commis. Dans sa noble fonction comme dans sa vie privée. Il avait divorcé, avec le sentiment de culpabilité d'abandonner ses enfants. Trois ans plus tôt, alors que son couple battait de l'aile, il avait quitté sa femme pour une autre. Plus jeune, le scénario classique.

Tout avait commencé par ce simple message : « Vous souvenez-vous de moi ? » Le WhatsApp était intrigant et appelait une demande d'explication, une réponse. La fille se nommait Tanja Stojkaj. Il lui avait jadis donné des cours de procédure pénale dans le canton de Vaud, à l'Académie de police de Savatan. Comment s'en serait-il souvenu ?

Puis il y avait eu d'autres messages, de plus en plus suggestifs, mais toujours avec le voussoiement d'usage. Un jeu amusant, dérangeant, déroutant. Jusqu'à ce rendez-vous secret à Yvoire, côté français du lac Léman, en terrain neutre, là où personne ne les connaissait. Cadre idyllique pour un coup de foudre, mais les coups de foudre sont éphémères : leur aventure n'avait duré que six mois et fini dans les larmes et les cris.

Depuis, Frédéric Ansermet avait retrouvé une stabilité. Ce soir, comme tous les soirs depuis deux ans, il n'avait qu'une hâte, retrouver celle qu'il aimait.

Le palais de justice de Montbenon dominait l'esplanade du même nom, un parc fleuri parmi les plus magnifiques de Lausanne. Face au sud s'ouvrait une vue imprenable sur le lac et les Alpes, que contemplait une statue de Guillaume Tell. Et il y avait, comme chaque fois, *des amoureux qui se bécotent sur les bancs publics*, ce qui fit sourire le juge Ansermet. Il se surprit à siffloter la chanson de Brassens en se dirigeant vers l'accès du parking souterrain.

Les portes coulissantes s'ouvrirent. Ansermet longea le couloir bétonné recouvert de graffitis et de tags monstrueux. Il appela l'ascenseur. En attendant la cabine, le magistrat regarda une dernière fois le Léman à travers la porte vitrée. Les voiliers étaient immobiles. Il n'y avait pas de vent.

L'ascenseur descendit au niveau des places privées. Comme tout parking public, l'endroit était sinistre. Le juge détestait s'y attarder, surtout depuis qu'un justiciable qu'il avait condamné dans le contexte d'un litige qui l'opposait au syndic de Lausanne pour une sombre affaire de permis de construire l'avait publiquement pris à partie. Ansermet n'avait pas porté plainte, pour ne pas ajouter de l'huile sur le feu.

Les portes de l'ascenseur s'ouvrirent sur une large rampe, basse de plafond. De part et d'autre, de nombreuses voitures étaient garées en épi dans la pénombre. Par endroits, un néon en fin de vie crépitait en provoquant de petits cliquetis métalliques.

Frédéric se dirigea vers sa Volvo. Rapidement, il eut le sentiment de ne pas être seul. Il s'arrêta, regarda autour de lui.

— Il y a quelqu'un ? appela-t-il.

Il se sentit aussitôt ridicule. C'était un endroit public. Il y avait régulièrement du monde. Pour autant, une désagréable impression le perturbait. Celle d'être suivi, épié, étudié dans chacun de ses mouvements. Le juge hâta le pas en direction de sa voiture et fit semblant de recevoir un appel téléphonique.

— Allô ? Ah oui, bonjour inspecteur. Comment allez-vous ? Mais bien sûr. J'arrive à ma voiture dans trente secondes. Vous connaissez l'emplacement ? Parfait. Je vous attends.

Ansermet se sentit un peu honteux du subterfuge. Il agissait comme un gamin. Ou comme un fou, bon pour l'internement à Cery. Il arrivait à sa voiture, appuya sur le boîtier de la clé. Les feux clignotants illuminèrent la place de stationnement. Il ouvrit la portière, s'installa derrière le volant, puis verrouilla l'habitacle et soupira. Son cœur battait la chamade, il était à bout de souffle, mais il se sentait enfin en sécurité.

Au moment de glisser la clé dans le contact, il sursauta. Une ombre avait bougé dans le rétroviseur central. Un étau le saisit à la gorge. Un chiffon se plaqua sur son visage. Une forte odeur d'éther. Ses yeux se révulsèrent. Le décor se flouta et bascula.

15

« Dans cette salle s'est constitué le gouvernement provisoire de la République neuchâteloise le 1er mars 1848. » La plaque en marbre surmontait le poêle en faïence, en face de l'estrade où siégeaient les trois juges du tribunal criminel. Le procureur Norbert Jemsen la regardait en attendant que les débats commencent.

1er mars 1848 ! se disait Jemsen qui aimait l'histoire. Il avait neigé par rafales, exactement comme ce matin. La nouvelle du soulèvement parisien du 22 février contre le roi Louis-Philippe venait d'arriver à Neuchâtel. Une semaine pour que l'information atteigne la Suisse ! Immédiatement, les républicains avaient occupé Le Locle. La Chaux-de-Fonds et le Val-de-Travers s'étaient soulevés à leur tour. Les révolutionnaires avaient marché sur le château de Neuchâtel délaissé par le Conseil d'État, pour parer à toute intervention royaliste du Littoral et du Val-de-Ruz. La progression avait été rendue difficile par la neige, mais la colonne républicaine n'avait rencontré aucune résistance et le soir même, elle s'était emparée du château de Neuchâtel. La République neuchâteloise était née. Sans effusion de sang.

Que la Suisse semble propre ! Et jusque dans son

histoire, pensa le procureur Norbert Jemsen. Peu de Suisses ont conscience du côté obscur de ce pays, de ces drames anonymes, de ces faits divers qui noircissent furtivement les pages des médias. Il y avait probablement eu des morts, ce jour du 1er mars 1848. Comme il y en a eu dans l'affaire qu'on juge aujourd'hui. Mais demain, tout le monde aura oublié.

— Nous avons bien compris que vous niez toute implication dans l'enlèvement de Frédéric Ansermet et dans l'évasion de Robert Balla, reprit la présidente. Nous savons aussi que l'enlèvement du juge vaudois a eu lieu le jour où vous étiez rue Neuve à Lausanne.

— Le soir, corrigea l'avocat de Tanja.

— J'entends bien, maître, s'interrompit la présidente agacée.

Elle fusilla Studer du regard.

— L'enlèvement a eu lieu le soir du jour où vous étiez à Lausanne.

Elle reprit ses notes.

— Nous savons également que l'évasion de Robert Balla est intervenue la nuit suivante entre une heure et cinq heures du matin, soit plus de vingt-quatre heures après l'enlèvement du juge Ansermet. Nous sommes d'accord?

— Je sais tout cela, répondit Tanja d'une voix affaiblie.

— Bien. Dans ce cas, pouvez-vous expliquer au tribunal ce que vous avez fait après avoir brisé les scellés de l'appartement de votre mère, rue Neuve?

— Je suis rentrée à Neuchâtel.

— Immédiatement après?

— Non, madame la présidente. J'ai regagné ma voiture et je me suis endormie plusieurs heures.

— Ce n'est pas ce que montrent les images de vidéo-surveillance du parking de la Riponne ni le ticket de validation de votre sortie.

— Je n'ai pas dormi dans le parking.

— Où avez-vous dormi?

— Je l'ai déjà expliqué au procureur.

— Pouvez-vous le répéter devant ce tribunal?

Tanja soupira. La juge cherchait d'éventuelles contradictions dans ses déclarations. Elle ne lui ferait pas ce plaisir.

— J'ai pris l'autoroute en direction de Neuchâtel et je me suis arrêtée sur l'aire de Bavois.

— Pourquoi?

— Parce que j'étais très fatiguée. Je n'avais pratiquement pas dormi depuis le moment où j'avais appris la mort de ma mère.

— Et là, vous avez réussi à dormir?

— Oui, madame la présidente.

— Votre mère a été assassinée, votre fils a disparu et vous parvenez à vous endormir. Comprenez-vous que cela puisse surprendre au vu des circonstances?

— Comme je vous l'ai dit, j'étais exténuée. J'ai failli m'endormir au volant.

— Admettons. Combien de temps avez-vous dormi?

— Je ne sais pas. Tout l'après-midi et une partie de la soirée. Je suis rentrée tard au BAP[1]. À mon arrivée, le commissaire Daniel Garcia était en pleine audition.

---

1. Le bâtiment administratif de la police neuchâteloise, surnommé en Suisse la «Boîte à poulets».

16

Dan Garcia frappa du poing sur le bureau. Le clavier de l'ordinateur fit un bond. La toxicomane sursauta. Derrière la vitre sans tain, le procureur Jemsen et sa greffière Flavie Keller suivaient l'interrogatoire.

— Arrête de me prendre pour un con, Sara. Je suis fatigué, j'ai passé une journée de merde dans l'appartement de ton copain et je te promets que ce n'était pas beau à voir. Toni est peut-être mort à cause de la coke de ces deux Blacks. Alors, si tu veux honorer sa mémoire et ne pas finir au trou, dis-moi la vérité !

La toxicomane regarda une nouvelle fois les photos d'identité judiciaire que le chef des stups avait posées devant elle. Les deux Blacks apparaissaient de face et de profil, avec des numéros d'identification.

— Je ne les connais pas.

— Tu ne les as jamais vus ?

— Jamais.

Elle mentait avec le même aplomb que Toni Almeida. Sauf que chez Sara Cunha le mensonge tenait moins d'une question de principe que d'une forme de fragilité psychique. Elle ne se rendait même plus compte qu'elle mentait. Elle le faisait par habitude, comme par automatisme.

Garcia jeta sous ses yeux la photo où elle apparaissait nue, prise en levrette par un des deux dealers.

— Et là, tu le reconnais?

Mal à l'aise, Sara hésita.

— Je…

— Tu quoi? aboya Garcia. Tu vas me dire que tu ne le reconnais pas, parce qu'il était derrière toi?

— Ce n'est pas ce que vous croyez… Je me suis fait avoir.

— Se faire avoir ou se faire baiser, c'est la même chose. Mais explique. Va, je suis impatient de connaître ta version.

La toxicomane se mit à pleurnicher.

— C'est Toni qui m'a envoyée chercher de la coke chez eux. Nous n'avions plus beaucoup d'argent. Il m'a dit que je n'avais qu'à les payer en nature. Il était comme ça, Toni. Ça lui était égal, dès l'instant où il avait sa dose. Quand je suis arrivée, ils m'ont dit que je devais les payer d'avance. Et quand ils ont eu ce qu'ils voulaient, ils m'ont dit qu'ils n'avaient pas de coke.

— En résumé, commenta Garcia en tournant un œil complice vers la glace sans tain, tu t'es fait baiser deux fois.

— J'étais furax. Toni allait me défoncer la gueule si je ne rentrais pas avec la coke. Je les ai menacés d'appeler la police. Ils se sont énervés, ils m'ont montré les photos qu'ils avaient prises. Je n'avais rien remarqué.

— Et pourquoi retrouve-t-on ces photos dans le téléphone de Toni?

— Parce que je leur ai dit que Toni allait les balancer. C'est lui qui était en contact avec eux pour la coke. Ils ont envoyé les photos à Toni et ils l'ont appelé. Ils lui ont dit que s'il bavait les photos finiraient sur Internet. Mais

Toni, il n'en avait rien à foutre. Tout ce qu'il voulait, c'était sa coke.

Garcia sentit une opportunité et joua son atout.

— Et c'est pour ça que tu l'as tué.

Sara Cunha mit quelques secondes à comprendre ce que Garcia venait de lui dire. On entendait presque ses neurones cliqueter, le temps qu'elle assimile l'accusation du patron des stups. Et soudain elle cessa de pleurer. Elle se mit à crier.

— Hé! Mais ça va pas la tête? Toni, je ne l'ai plus jamais revu depuis ce jour-là. Jamais je n'aurais osé rentrer sans la coke.

— Tu aurais pu en trouver ailleurs.

— Et je l'aurais payée comment? Je n'avais pas un rond.

Garcia s'apprêtait à lui répondre quand Tanja Stojkaj entra dans la salle d'interrogatoire. Derrière la vitre sans tain, Jemsen et sa greffière la virent se camper devant Garcia. Flavie sentit monter en elle un tourbillon de sentiments contradictoires. Amour, soulagement, inquiétude, colère.

— C'est allé avec la police vaudoise? demanda Garcia.

— Oui, répondit laconiquement Tanja.

Elle regarda Sara Cunha et ajouta:

— On en parlera tout à l'heure, quand tu auras terminé.

— Tu devrais rentrer, lui conseilla le chef des stups. Il est tard. Ne m'attends pas. J'en ai encore pour une bonne heure avec mademoiselle.

Au moment où Tanja quittait la pièce, Garcia ajouta:

— Ah! Au fait, j'ai réceptionné un colis pour toi. Je l'ai déposé sur ton bureau.

17

Tanja referma la porte de la salle d'interrogatoire. Au même instant, la porte voisine s'ouvrit et Flavie apparut dans le couloir. Les deux femmes se regardèrent sans dire un mot. Flavie aurait voulu serrer Tanja dans ses bras, mais la greffière sentit que l'inspectrice souhaitait conserver de la distance.

— Ça va?

La question était maladroite, la réponse prévisible.

— Non.

— Tu veux que je reste avec toi, ce soir?

— Je préfère rester seule.

Flavie se sentait impuissante face à la détresse de Tanja. Elle aurait voulu lui dire qu'elle la comprenait, qu'elle était là pour elle, qu'elles pouvaient en parler.

L'inspectrice fit mine de partir. La greffière la retint par une épaule.

— Je me fais du souci pour toi… Tu aurais pu répondre à mes messages…

Tanja se retourna et lui sourit tristement, sans dire un mot. Qu'aurait-elle pu répondre à ça? Qu'elle n'avait nul besoin de reproches? C'était inutile. Flavie le savait. La greffière lâcha son étreinte et regarda la femme qu'elle aimait disparaître dans les sombres corridors du BAP.

Le colis était posé entre le clavier de son ordinateur et une pile de dossiers. Il avait la taille de l'emballage d'un téléphone portable. Tanja se laissa tomber sur la chaise de son bureau. Qu'allait-elle découvrir dans ce petit paquet ? Un doigt de Loran ? Une oreille ?

Elle hésita d'abord à ouvrir le colis et même à le toucher. Sa première pensée fut de préserver d'éventuelles traces d'ADN ou d'empreintes digitales. On aurait dit qu'elle voulait gagner du temps.

Elle aurait pu attendre le lendemain pour le soumettre à l'examen du service forensique, mais elle se ravisa. Trop de gens avaient déjà manipulé ce paquet depuis son expédition, à commencer par les facteurs successifs et le commissaire Garcia.

Tremblante, elle s'en empara, le secoua doucement, un bruit mat à l'intérieur. Tanja l'inspecta. Des timbres français. Une oblitération de la poste de Bastia. Une date d'expédition remontant à l'avant-veille. Le colis venait de Corse et n'avait rien à voir avec son fils. Elle retira les rubans adhésifs et l'ouvrit. Il contenait une clé. Et une lettre manuscrite.

Chère Tanja,

Si tu lis ces quelques lignes, cela voudra dire que je ne suis plus de ce monde et que j'ai enfin rejoint mon Hélène, loin de l'enfer blanc de Canari et des secrets engloutis dans les Bouches.

J'ai chargé un notaire en qui j'ai entière confiance – oui ça existe, même sur mon île – de te faire parvenir ce petit présent s'il devait m'arriver malheur.

Il s'agit de mon seul bien matériel de valeur, en

dehors du Larimar *que les autorités corses ne manque-*
ront pas de saisir à leur profit. Mais celui-là, elles ne
l'auront pas. Il est inscrit au nom de mon père. Je suis
sûr que tu sauras en faire bon usage...

Tanja regarda la clé, la retourna. Elle ne comportait
aucun chiffre, aucune marque d'identification. Tout
cela n'avait aucun sens. Pourquoi ce gendarme qu'elle
avait rencontré en Corse avait-il pris la précaution de
lui adresser ce courrier ? La suite de la lettre indiquait
où se trouvait le « petit présent » et se terminait par des
excuses. Tanja les relut trois fois.

Toutes les personnes qui comptaient pour moi sont
mortes. Aucune parenté éloignée, si tant est qu'il en
existe encore en vie, n'est plus digne que toi de recevoir
cette clé. Elle est la clé de mon salut, celle qui te per-
mettra peut-être de me pardonner un jour.
Je sais que je n'ai pas été d'une absolue franchise
avec toi. Entre flics, c'est impardonnable, j'en suis
conscient. Mais j'avais mes raisons. J'espère avoir eu
le temps de te les expliquer. Si tel est le cas, je suis per-
suadé que tu les auras comprises.
Ton ami,
Éric Beaussant

18

Par une fenêtre du tribunal, Norbert Jemsen regardait la fraise à neige tourner sur la place de l'Hôtel-de-Ville. Depuis le milieu de la nuit, l'équipe municipale de La Chaux-de-Fonds n'avait connu aucun répit.

Le procureur pensait à l'interrogatoire de la toxicomane. Il aurait peut-être dû sortir lui aussi dans le couloir du BAP. Il avait entendu la conversation entre Tanja et Flavie. Sa greffière était revenue, l'air déconfit. Aurait-il pu faire quelque chose avant que Tanja sombre définitivement ou était-il déjà trop tard? Ses doutes l'accablaient. D'un côté, il s'en voulait de ne pas avoir réagi. De l'autre, il ne savait pas ce qu'il aurait pu lui dire. Une petite voix lui susurrait que tout avait basculé cette nuit-là.

Jemsen tourna la tête vers Tanja. Elle était assise face au tribunal. L'inspectrice n'était plus que l'ombre de la femme qu'il avait connue. Elle était devenue une autre, un peu comme lui. Les changements d'identité, il connaissait. Ça pouvait vous labourer le cerveau.

À la demande de la juge, la prévenue venait de résumer son retour à Neuchâtel, son passage dans la salle d'audition où Dan Garcia interrogeait la toxicomane, sa confrontation avec Flavie. Mais elle n'avait rien dit du colis. Ce détail ne regardait pas le tribunal ni ne concernait la procédure. Même Flavie, Jemsen et Garcia ignoraient l'existence de cette lettre et de cette clé. Le chef des stups ne l'avait jamais questionnée au sujet de ce paquet.

— Pourquoi n'avez-vous pas suivi les conseils du commissaire Garcia qui vous suggérait de rentrer chez vous ? demanda la magistrate.

— C'est ce que je voulais faire.

— Mais vous n'êtes pas rentrée tout de suite ?

— J'étais sur le point de le faire, au moment où les gendarmes sont arrivés.

Il était presque minuit, lorsque Tanja quitta le bureau mis à sa disposition dans les locaux de la police de Neuchâtel. Sa résidence secondaire en quelque sorte, quand elle ne travaillait pas à Berne. Les couloirs étaient obscurs, les lampes éteintes. Seul un puits de lumière dans le toit diffusait la clarté de la lune. Le silence régnait à l'étage de la police judiciaire.

Tanja se dirigea vers les ascenseurs et descendit à l'étage où on avait installé la gendarmerie. La réception était allumée. Celui que tout le monde appelait Dédé était là.

Assis les pieds sur la table, il lisait une revue sur les Harley-Davidson. Bientôt à la retraite, le sergent préparait son futur voyage aux États-Unis, la Route 66, son rêve de gosse. Il salua Tanja, qui lui répondit à peine. Les gendarmes n'étaient jamais tenus au courant des missions d'infiltration, et Dédé, comme la plupart des gendarmes, ignorait qui était vraiment l'inspectrice fédérale.

Elle passa devant le local de fouille. Deux gendarmes montaient la garde devant la porte, pendant qu'un troisième demandait à un détenu de se déshabiller. L'homme regarda son interlocuteur avec un sourire anormal et s'exécuta sans discuter, comme si l'injonction lui faisait plaisir. Tanja remarqua qu'il avait un début d'érection et que ses vêtements étaient tachés de sang.

— Qui est-ce ? demanda-t-elle à un des gendarmes.

— Un dingue qui s'est échappé d'un hôpital lausannois la semaine dernière. On vient de l'arrêter dans une ferme à Fresens.

— Qu'est-ce qu'il a fait ? demanda Tanja.

— Il a violé et égorgé un bébé…

Ce fut comme un électrochoc. Tanja n'écouta pas la fin de la phrase. Elle imagina la scène, elle pensa à son fils. Loran n'avait que deux ans. Elle dévisagea l'homme qui s'était dévêtu sans scrupule devant elle. Il continuait de sourire béatement et commençait à se toucher le sexe en lâchant de petits grognements porcins. Il ressemblait un peu à Salvatore, le moine simplet et bossu du *Nom de la rose*, mais en beaucoup plus grand.

Tanja regarda les chaussures que *Salvatore* venait de retirer. Une pointure de géant, du quarante-sept ou du quarante-huit. Comme les traces de pas dans l'appartement de la rue Neuve. Le sang de Tanja bouillonna. La fatigue fit le reste.

Comme une furie, elle écarta les deux plantons devant la porte du local de fouille, et poussa violemment le troisième gendarme qui tentait de s'interposer. Elle sauta sur le géant. Entravé par le pantalon qu'il avait aux chevilles, *Salvatore* chuta lourdement et se cogna la tête contre le sol. À moitié groggy, il se recroquevilla en chien de fusil et mit ses mains devant son visage. La protection fut clairement insuffisante face à la rage de Tanja. Les poings frappèrent et frappèrent encore, jusqu'à ce que les chairs s'ouvrent et que le sang de l'inspectrice se mêle à celui du suspect.

— Dis-moi où il est ! hurlait-elle en cognant de plus belle.

Les questions fusaient au rythme des coups qu'elle lui assénait.

— Où est Loran ? Où est mon fils ? Qu'est-ce que tu lui as fait ? Parle, salopard !

Les cris résonnaient dans le bâtiment vide. Les gendarmes durent s'y mettre à trois pour maîtriser Tanja. Dans sa fureur, elle cassa le doigt de l'un d'eux. Ses deux collègues reçurent des coups de coude au visage et dans les côtes.

Alertés par les bruits, Garcia, Jemsen et Flavie descendirent en courant par les escaliers de service. Quand ils arrivèrent devant le local de fouille, la première chose qu'ils remarquèrent, ce fut le sang. Il y en avait partout. Contre les murs, sur le sol. Allongée sur le ventre, menottée les bras dans le dos, la tête contre le lino, Tanja pleurait.

Le visage de *Salvatore* n'était qu'une plaie béante. Le géant était couché sur le dos, encore conscient, mais il n'émettait aucune plainte. Son regard errait d'un néon à l'autre. Bientôt, les hématomes gonfleraient et l'empêcheraient de voir. Les arcades sourcilières étaient ouvertes en plusieurs endroits. Le nez était cassé, l'os tordu saillant des chairs. Les lèvres déchirées soufflaient des bulles de sang. On l'entendait râler doucement. Garcia crut d'abord que la victime avait de la peine à respirer et comprit que le géant fredonnait une comptine pour enfants.

Ce qui agaçait Tanja, c'était cette manière de donner des leçons qu'avait la présidente du tribunal, cet air supérieur et cette morgue de ceux qui n'ont jamais vécu mais ont toujours raison.

— Vous reconnaissez donc avoir violemment frappé ce suspect ?

— Je le reconnais, madame la présidente... J'étais fatiguée.

— Si je comprends bien votre réponse, vous sous-entendez que la fatigue autoriserait toute forme de violence.

— Je ne sous-entends rien. Ma mère venait d'être assassinée et j'étais obnubilée par la disparition de mon fils.

— Sauf que le suspect n'y était pour rien.

— Je ne le savais pas.

— Ce doute n'aurait-il pas dû appeler de votre part une certaine prudence, un peu de recul, de retenue ?

— J'en conviens. Mais il est facile de juger les faits après coup.

— Insinueriez-vous que le travail de ce tribunal soit facile ?

— Ce n'est pas ce que j'ai dit.

— L'homme que vous avez frappé avait l'âge mental d'un enfant de huit ans. Vous en rendez-vous compte ?

— Comment aurais-je pu le deviner ?

— En vous renseignant.

— Je n'en ai pas eu le temps.

— Vous ne vous l'êtes pas donné, ce temps, et, quoi que ce suspect ait fait, rien ne vous autorisait à l'envoyer à l'hôpital.

— Il a tout de même violé et tué… Peu importe, en fait.

La présidente soupira.

— *Peu importe*. En l'espèce, le tribunal ne peut que vous donner raison. Ce qu'il a fait ne vous concernait pas ni ne concerne la présente procédure. Cet homme a été interné et sera condamné, si tant est qu'il soit reconnu responsable de ses actes. Mais à en croire l'expert-psychiatre, ce n'est pas une évidence. Dans tous les cas, ce n'était pas à vous de le juger.

— J'en suis consciente.

— Et pour les gendarmes ?

Tanja ne répondit pas tout de suite. Ses yeux fatigués glissèrent d'un gendarme d'audience à l'autre. Les hommes qui assuraient la sécurité du procès étaient forcément des collègues des trois gendarmes blessés. Aucun d'eux ne laissa transparaître la moindre émotion. Tanja avait du respect pour ces hommes et leur travail. Un peu honteuse, elle baissa la tête, fixa le sol et murmura :

— Dommages collatéraux.

— Je vous demande pardon ? rebondit la juge qui n'était pas sûre d'avoir bien entendu.

— J'ai dit : je regrette.

— Le tribunal prend acte de vos regrets.

— C'était un accident, continua Tanja. Je ne voulais pas casser le doigt de ce gendarme. Je lui ai présenté mes excuses ainsi qu'à ses collègues. Ils n'ont pas porté plainte contre moi.

— Vous avez raison, répliqua la présidente. Cependant, les violences et les menaces contre les policiers font d'office l'objet de poursuites. Même sans plainte, le tribunal peut vous condamner pour ces faits.

— Mon avocat me l'a rappelé. Encore une fois, ma violence à l'égard des gendarmes n'était pas intentionnelle. Et je ne les ai pas menacés.

— Ah non ? N'avez-vous pas dit – je cite le dossier, page cinquante-trois : « Lâchez-moi, bande de cons, lâchez-moi ou je vous défonce la gueule » ?

— Je ne m'en souviens pas.

— Mais vous n'excluez pas l'avoir dit, n'est-ce pas ?

— Si je l'ai dit, c'était sous l'effet de la colère. En aucun cas il ne s'agissait de menaces sérieuses. Jamais je ne m'en serais prise à des gendarmes.

21

Le local de fouille était encore souillé du sang de *Salvatore*. Les gendarmes avaient emmené le géant à l'hôpital Pourtalès. Nul besoin d'appeler une ambulance. Prisonnier de son âme d'enfant, l'homme s'était relevé, avait éclaté de rire, craché une dent et suivi ses gardiens en chantonnant gaiement sa comptine.

« Baa baa mouton noir, as-tu de la laine ? Oui monsieur, oui monsieur, trois poches pleines. Une pour le maître et une pour la dame. Une pour le petit garçon qui vit dans la plaine. »

Sa voix grave avait disparu en même temps que lui dans les couloirs sombres du BAP.

— Qu'est-ce qui t'a pris ? demanda Garcia à Tanja.

L'inspectrice bandait ses poings blessés dans des serviettes-éponges.

— Je ne sais pas. J'ai vu rouge.

— Mais bordel, Tanja ! Cet homme n'a rien à voir avec ce qui t'arrive.

— Comment le sais-tu ?

Garcia avait le sentiment de parler à un mur. Il secoua la tête.

— Je le sais, parce que je suis l'officier de service

et que les gendarmes m'ont informé de ce cas. Cet homme a été arrêté dans une ferme à Fresens.

— Les gendarmes me l'ont dit. Ils m'ont aussi dit qu'il s'était échappé d'une clinique psychiatrique de Lausanne la semaine dernière.

— C'est vrai. Il est signalé à Ripol[1] sous mandat de recherches d'un procureur vaudois. Mais ça fait une semaine qu'il est hébergé dans cette ferme. C'est le paysan qui le logeait qui a appelé la police.

— Parce qu'il a tué son fils ?

Garcia sourit tristement.

— Il n'a tué personne, Tanja.

— Ce n'est pas ce que les gendarmes ont dit. Il a violé et égorgé un bébé.

Le chef des stups soupira en comprenant le quiproquo.

— Un bébé mouton, Tanja ! Un agneau. Un putain de petit agneau noir. Le paysan croyait que cet homme était un sans-abri. Il pensait faire une bonne action en l'hébergeant contre un peu de travail à la ferme, jusqu'à ce qu'il surprenne son hôte en train de sodomiser la pauvre bête. C'est tout. L'histoire s'arrête là.

— Mais je…

— Mais quoi, Tanja ? Tu croyais quoi ? Qu'il avait violé et égorgé ton fils ? Si tu avais laissé les gendarmes finir leur explication, on n'en serait pas là. Maintenant, rentre chez toi !

— J'étais sur le point de le faire.

— Parfait. On parlera de tout ça demain.

Garcia réfléchit un instant, puis se ravisa.

---

1. Système de recherches informatisées de police, en Suisse.

— Ou plutôt dans quelques jours. Tu devrais te reposer un peu.

— Je ne peux pas.

— Pourquoi ?

— Loran…

— C'est l'affaire des Vaudois. Fais-leur confiance. Qu'est-ce que tu espères trouver ici ? Rien. Prends tes congés et tiens-toi à la disposition de la police vaudoise. Réponds à toutes les questions des collègues, sans rechigner. C'est la meilleure chose que tu puisses faire. Et si ça ne suffit pas, si la police vaudoise ne te contacte pas parce qu'elle ne le juge pas utile dans l'immédiat, consulte ton médecin. Puisque apparemment tu n'as pas non plus confiance en nous.

Garcia était furieux. Il remonta à l'étage de la police judiciaire pour rejoindre la toxicomane qu'il avait abandonnée dans la salle d'interrogatoire.

Dans la cellule souillée de sang, Flavie pleurait. Jemsen se sentait impuissant. Le procureur se tourna vers Tanja.

— Inspectrice Stojkaj, si vous avez besoin de parler, je suis là. N'hésitez pas. Vous pouvez m'appeler à tout moment. Je suis de permanence, je vais donc garder mon téléphone allumé toute la nuit.

Tanja le remercia, baissa la tête et s'en alla, elle aussi, sans un mot ni un regard pour la greffière. Flavie sentit ses entrailles se déchirer.

Le village dormait lorsque Flavie rentra à Auvernier. Elle croisa trois jeunes, qui se dirigeaient silencieusement vers le lac avec des cartons de bières. Les trams ne circulaient plus, la brasserie du Poisson était fermée, la Pinte la Golée aussi. Les pavés étaient encore tièdes de la journée de canicule, on n'entendait que le bruit de la petite fontaine sur la place, Flavie remonta la rue sombre qui grimpait entre les vieilles maisons vigneronnes.

Quand elle poussa la porte, les lumières étaient éteintes. Alain ne l'avait pas attendue pour aller se coucher. Elle avait prévenu son mari qu'elle rentrerait tard. Il n'avait pas répondu à son message. Pas une surprise.

Flavie retira ses sandalettes et se livra à son rituel, le même depuis trois ans. La chambre de Mathilda n'avait pas changé depuis l'accident. Les meubles, les vêtements, les jouets, le cartable d'écolière, les dessins contre la porte et sur les murs. La voiture allait trop vite et n'avait même pas freiné en croisant le bus scolaire à l'arrêt.

Flavie pleurait moins depuis qu'elle avait rencontré Tanja et qu'elle était tombée amoureuse d'elle. Ce jardin secret l'éloignait chaque jour un peu plus d'Alain et la rapprochait d'un divorce inéluctable.

Bientôt, elle devrait faire le deuil de cette chambre, de ces objets, sans jamais faire celui de sa fille. Elle devait simplement réapprendre à vivre.

Épuisée par la journée qu'elle venait de vivre, la greffière s'étendit sur le lit de sa fille. Elle ne l'avait jamais fait. Elle se mit à crier, sans s'inquiéter de réveiller son banquier de mari. Ou alors, c'était ce qu'elle cherchait. Le réveiller, trouver une épaule sur laquelle se consoler. Mais son mari ne vint pas. Depuis longtemps, Alain ne supportait plus le rituel de sa femme. Il la laissait pleurer des heures et s'enfermait dans son travail : comptes, chiffres, rendements, placements.

Flavie retournait la situation dans tous les sens, elle se faisait la comptable de la moindre des réactions de Tanja et, comme chaque fois, elle parvenait à la même conclusion : elle avait perdu sa fille, elle était la mieux placée pour comprendre ce que Tanja était en train de vivre.

Les questions qu'elle se posait s'entremêlaient, tout devenait flou. Les yeux rouges, Flavie se leva, sortit de la chambre de Mathilda et gagna le salon. La pièce était comme elle l'avait laissée ce matin. Les plaids non froissés sur les canapés, aucun verre sur la table basse, pas d'ordinateur portable ni de dossiers bancaires. Flavie alla dans leur chambre. Le lit n'était pas défait. Son mari n'était pas là. Ce n'était pas dans ses habitudes. Avait-il une maîtresse ? Était-il retourné voir une prostituée ? Cette nuit pourtant, elle aurait presque eu envie de lui. Il n'était pas question d'amour. Les sentiments n'existaient plus entre eux. Elle aurait juste eu envie qu'il la prenne dans ses bras.

Elle se sentit très seule. Elle pensa un instant rejoindre Jemsen au BAP, mais la fatigue l'en dissuada.

Le procureur avait convaincu sa greffière de rentrer chez elle. Lui n'en avait pas l'intention. Son domicile n'était plus son domicile. Depuis l'incroyable attentat dont il avait été la victime l'an dernier, il n'y avait pas dormi souvent. Au début, il y avait eu les scellés, puis la période où il avait vécu chez son frère, dans un décor qui ne lui correspondait pas, trop froid, impersonnel. De chambre d'hôtel en chambre d'hôtel, il avait observé dans les miroirs ses cicatrices s'estomper.

Cette nuit, bouleversé par les larmes de Flavie et la détresse de Tanja, il avait choisi de rester au BAP, aux côtés du commissaire Garcia. Ils étaient tous les deux de permanence. Jemsen rejoignit le chef des stups à l'étage de la PJ et le trouva seul dans son bureau.

— Où est Sara Cunha ? demanda le procureur.

— Je l'ai remise en cellule. Elle sera libérée à l'aube.

— Lorsque vous l'avez interrogée, vous saviez que Toni Almeida était mort d'une crise cardiaque. Les légistes sont formels. Pourquoi lui avez-vous demandé si elle l'avait tué ?

— Parce qu'elle m'énervait avec ses mensonges.

Garcia avait l'air épuisé.

— Vous ne rentrez pas chez vous ? demanda-t-il au

procureur. L'affaire Almeida est terminée. Mort naturelle. Vous pouvez classer le dossier sans suite.

— Je sais. Mais je préférerais rester ici, si vous n'y voyez pas d'inconvénient.

— Aucun. Mais je dois encore gérer le cas du zoophile et celui d'un gosse qui n'a rien trouvé de mieux que de braquer un kiosque. L'affaire ne vous concerne pas, le gosse a douze ans et son sort dépend du juge des mineurs. Mais cette affaire peut attendre, soupira l'officier de police. Un café ?

— Ce n'est pas de refus.

Jemsen et Garcia descendirent à l'étage de la cafétéria du BAP. L'endroit était désert, plongé dans l'obscurité, éclairé seulement par la faible lueur du distributeur de boissons. Garcia pressa sur l'interrupteur, les néons crépitèrent, il passa son badge contre la machine.

— Expresso ?

Le commissaire servit deux cafés et ils s'assirent à une table.

— Ça fait très longtemps que nous ne nous sommes pas retrouvés seuls tous les deux, sourit étrangement Garcia.

Jemsen n'avait pas le souvenir d'avoir jamais eu un tête-à-tête avec le chef des stups.

— Effectivement.

— J'ai une question un peu délicate… Avant l'attentat, le tutoiement était de mise entre nous. Mais là, depuis… Votre changement n'a pas échappé à certains policiers.

— Je suis désolé. Je ne garde que très peu de souvenirs de ma vie d'avant.

— C'est ce que j'ai expliqué aux collègues. Votre

amnésie. La plupart d'entre eux l'ont compris, mais d'autres doutent. Je peux vous parler franchement? Certains se posent des questions sur vos capacités à assurer la fonction. Vous avez la chance d'avoir une perle comme greffière.

Jemsen n'aimait pas la tournure que prenait cette conversation. Il aurait voulu briser là et proposer de revenir au tutoiement. Mais, opportunément, le téléphone de Garcia sonna.

— Passez-la-moi, dit-il.

Il fit un signe au procureur, la centrale lui transférait un appel, la mère du jeune braqueur de kiosque.

— Bonsoir madame, annonça le chef des stups. Je suis le commissaire Daniel Garcia et je…

Il fut interrompu par une volée d'insultes. Il regarda Jemsen et alluma le haut-parleur de son portable.

— Écoutez, madame, ce n'est pas la peine de vous énerver. Si les gendarmes vous ont appelée, c'est pour vous demander de venir chercher votre fils au poste de police.

— Pourquoi? cria la voix nasillarde. Qu'est-ce que ce petit con a encore fait?

— Il a braqué le gérant d'un kiosque avec un pistolet factice.

— Et qu'est-ce que vous voulez que ça me fasse?

— C'est votre fils, madame. Il a douze ans et il faudrait que vous veniez le chercher au poste des Poudrières.

— Quand?

— Maintenant.

— Non, mais vous avez vu l'heure qu'il est?

La mère du criminel en herbe lui raccrocha au nez. Incrédule, Garcia regarda l'écran de son téléphone.

— Je rêve !

Il avala son expresso. Jemsen fit de même. Le magistrat craignait que le chef des stups revienne sur le sujet sensible de son amnésie, mais il n'en fit rien. Garcia se contenta de commenter :

— Ils pètent tous un plomb avec cette canicule. Bienvenue dans le quotidien d'un officier de service, monsieur le procureur.

Jemsen et Garcia discutèrent de tout et de rien durant quatre heures. De dossiers neuchâtelois en cours ou archivés : l'affaire du *Vénitien*, l'histoire incroyable du lingot d'or nazi, l'enquête vaudoise sur la mère et le fils de Tanja. De temps à autre, Garcia recevait des appels téléphoniques, l'hospitalisation de *Salvatore*, le braquage du kiosque et diverses arrestations qui tombaient toutes les heures : rixes de sorties de boîtes de nuit, ventes de cocaïne dans la rue ou arrestations d'illégaux. La routine.

À cinq heures du matin, ils en étaient à leur septième café, Garcia reçut un énième coup de fil. Son visage s'assombrit. Quand il raccrocha, il se tourna vers le procureur.

— Berti Balla vient de s'évader.

24

Serge Rochat traversa Le Locle à l'aube, en direction des Brenets. La circulation était fluide. Le transit des frontaliers commençait à peine. S'il se dépêchait d'effectuer sa livraison, il éviterait les bouchons sur la route du retour.

Depuis trois ans qu'il essayait de remonter la pente, l'entreprise de Serge Rochat démarrait enfin. Les gens achetaient de plus en plus de produits régionaux. Avec sa femme, il distribuait de la viande bovine, du fromage, du pain, des œufs, des fruits et des légumes issus de l'agriculture biologique. Élodie était enceinte de leur premier enfant. Elle s'occupait de la partie administrative de leur petite société : les commandes, la facturation, la comptabilité. Il assurait les livraisons.

La camionnette filait sur la rue de France, dépassa l'entrepôt des douanes, atteignit le col des Roches et bifurqua à gauche, direction les moulins souterrains.

— Tu es sûr que c'est ouvert ? avait demandé Élodie la veille pendant qu'il préparait le chargement.

Elle avait lu dans *ArcInfo* que les moulins étaient fermés pour rénovation. Mais au téléphone, le type avait dit que les travaux étaient terminés.

La commande était importante. Une aubaine pour la petite entreprise du couple Rochat. Il fallait livrer très tôt le matin. Et seulement des produits frais.

Serge gara la camionnette sur le parking voisin de Comadur, une usine horlogère. En face, les premiers rayons du soleil baignaient les falaises du col des Roches d'une lueur orangée. Le livreur chargea les quatre caisses sur un diable et se dirigea vers un bâtiment jaune avec un panneau : « Information ». Aucune lumière ne filtrait à travers la porte vitrée. Il frappa, personne ne répondit.

Serge contourna le bâtiment. À l'arrière s'ouvrait une grande cour mal tenue, avec de l'herbe folle, les restes rouillés d'une voie ferrée et des murets qui avaient dû marquer un accès aux moulins souterrains. Il se dirigea vers le bâtiment principal, où se trouvaient la caisse et la boutique, d'où partait la visite touristique des moulins. Cette porte aussi était verrouillée. Une pancarte annonçait « Fermeture pour cause de travaux ».

Dans un autre bâtiment sur sa droite, Serge repéra une porte ouverte, derrière laquelle il crut percevoir un mouvement.

— Il y a quelqu'un ? cria-t-il.

Aucune réponse. Serge franchit la porte et se retrouva dans une grande pièce vide, qui devait servir de buvette pour les visiteurs. Des tables et des bancs étaient rangés, pliés contre un mur. Au fond de la salle, un homme lui tournait le dos. *C'est ici*, pensa le livreur.

— Bonjour, s'annonça-t-il. Entreprise Rochat. C'est pour la livraison.

L'homme répondit sans se retourner.

— Posez-la à côté du frigo.

La voix était grave et résonnait dans la grande pièce vide, mais ce qui surprit Serge, c'était ce timbre métallique, comme si l'homme avait prononcé la phrase dans un micro. Il poussa son diable vers l'endroit indiqué. L'homme ne s'était pas retourné. Il était penché, les mains appuyées sur une table, comme s'il était occupé à lire quelque chose. Le plus intrigant était son accoutrement. Une sorte de longue robe de bure, pareille à celle d'un moine. À l'occasion de la réouverture des moulins, on préparait sans doute un spectacle historique.

Serge déchargea les caisses une à une et les posa à côté du frigo. Quand il posa la dernière sur les trois autres, il se retourna pour annoncer à l'homme qu'il avait terminé. Il n'en eut pas le temps. Un chiffon plaqué violemment sur son visage, une odeur d'éther. Sa vue se brouilla. La dernière chose qu'il devina avant de s'évanouir, c'était ce masque respiratoire, noir et métallique, qui recouvrait le nez et la bouche de l'agresseur.

25

La nuit moite laissait déjà la place à une nouvelle journée caniculaire. Le soleil levant n'atteignait pas encore la tour de la prison de La Chaux-de-Fonds. Au troisième étage, on devinait la fenêtre de la cellule et les deux barreaux manquants. Le fil du *téléphérique* s'était emmêlé dans les surplombs du mur d'enceinte. Accompagnés de matons, des gendarmes fouillaient le périmètre à la recherche du moindre indice. Le service forensique allait arriver. Jemsen et Garcia étaient en retrait, sur la rue de la Promenade.

— Balla est signalé partout en Suisse, annonça le chef des stups en consultant ses mails sur son téléphone. Ripol, douanes, gares, aéroports. Est-il envisageable d'étendre le signalement à l'espace Schengen?

— Ce n'est plus de mon ressort, répondit le procureur. Je ne suis pas compétent. Balla a été jugé et vient de faire appel. La question d'un mandat d'arrêt international va devoir se discuter entre le tribunal criminel, la cour d'appel et l'office d'exécution des peines.

— Mais vous êtes compétent pour poursuivre son complice.

Jemsen hocha la tête. En Suisse, l'évasion ne constitue

pas une infraction. Seule l'assistance à évasion peut donner lieu à des poursuites pénales.

— Je demanderai à ma greffière d'ouvrir un dossier tout à l'heure. Je n'ai pas réussi à la joindre. Elle doit dormir. Vous avez une idée sur l'identité du complice ?

— Pas la moindre. Espérons que l'ADN parlera, dit Garcia en montrant le fil du *téléphérique*.

— Vous pensez qu'il faudrait avertir Tanja ? demanda Jemsen.

— À mon avis, pas tout de suite. Elle a déjà suffisamment à faire avec l'histoire de sa mère et de son fils. Pas la peine d'en ajouter.

Jemsen indiqua à Garcia un homme qui prenait des photos derrière les rubalises interdisant l'accès au périmètre.

— Elle risque d'apprendre l'évasion par les médias, fit remarquer le procureur.

— Les vautours sont déjà là, grogna Garcia. OK, j'appellerai Tanja tout à l'heure.

Un gendarme s'approcha d'eux et leur montra un téléphone portable, qu'il avait pris soin d'emballer dans un sac plastique transparent pour préserver les traces.

— Nous l'avons trouvé dans un taillis, au bord de la voie ferrée. Sans batterie ni carte SIM. On va continuer de fouiller le périmètre.

Le commissaire prit le sac et regarda l'appareil.

— On pourra tenter une recherche sur la base du code IMEI.

Composé de quinze chiffres ou plus, le code IMEI identifie chaque téléphone portable et permet d'obtenir auprès des opérateurs la liste de toutes les cartes SIM insérées dans l'appareil durant les derniers mois.

— On verra bien, conclut Garcia. Aujourd'hui, toutes les cartes SIM sont censées être enregistrées nominativement.

Quand les opérateurs respectent les règles, pensa Jemsen, ce qui était loin d'être toujours le cas. Bien souvent dans les milieux criminels, les cartes SIM étaient encore enregistrées sous de fausses identités, parfois complètement farfelues.

Garcia consulta une nouvelle fois ses mails. L'inspecteur du service forensique annonçait qu'il allait avoir un peu de retard, en raison d'une intervention sur le cambriolage d'une villa. Un autre message provenait du CURML. Le commissaire le lut au procureur.

— Le médecin légiste sollicite votre ordre de libération du corps de Toni Almeida. Il dit que c'est assez urgent. Vu l'état de décomposition du cadavre, il souhaiterait éviter de devoir le conserver une nuit de plus. Même dans un frigo de l'institut.

— Dites-lui que je lui transmets l'autorisation dans la matinée. Flavie s'en chargera.

Garcia répondit au légiste de Lausanne, puis il parcourut rapidement les informations données par le système InfoPol.

— Les Vaudois ont révoqué le signalement de notre ami zoophile. Ils ont aussi découvert une scène de crime à Morges.

Dan avait raison, se dit Jemsen. *La touffeur provoquait des pétages de plombs un peu partout en Suisse romande.*

— Un autre agneau ? ironisa le procureur en repensant au visage détruit de *Salvatore*.

— Non. Cette fois, la victime est vraiment un enfant.

26

— Qu'évoque pour vous le nom de Serge Rochat ? demanda la présidente du tribunal criminel à Tanja.

— Pas grand-chose, si ce n'est celui d'un meurtrier.

— Vous avez une vision bien étroite du droit, sourit la juge. L'auteur d'un homicide n'est pas forcément un meurtrier, non plus qu'un zoophile n'est forcément un pédophile assassin.

Le juridisme de la magistrate agaçait Tanja. Elle répondit sèchement :

— Si je peux me permettre, c'est à la greffière du procureur que vous devriez expliquer ça. Pas à moi.

Tanja tourna la tête vers le représentant du ministère public. Jemsen resta impassible. Elle savait qu'il avait interdit à Flavie d'assister à l'audience publique du tribunal, en dépit de l'insistance de la greffière. Une sage décision.

La juge changea de sujet.

— Dans la matinée qui a suivi l'évasion de Robert Balla et la disparition de Serge Rochat, vous vous êtes déplacée à Morges avec le commissaire Daniel Garcia. Pour quelle raison ?

— Le commissaire Garcia m'a appelée pour

m'informer de l'évasion de Berti et de la découverte d'une scène de crime par la police vaudoise.

— Où étiez-vous au moment de cet appel?

— Dans mon lit. Je dormais.

— Vous dormiez? Décidément, trouver le sommeil ne semble pas un problème pour vous, quoi qu'il puisse vous arriver. Mais pourquoi ce déplacement à Morges? Au moment de l'appel du commissaire Garcia, aviez-vous une raison objective de penser que cette scène de crime pouvait concerner votre fils?

— Dan m'a parlé de la victime qui était un enfant.

— Mais il n'y avait pas de corps.

— Dan a aussi mentionné qu'un jouet spécifique avait été retrouvé sur les lieux.

— Lorsque vous avez visité clandestinement et illégalement l'appartement de la rue Neuve, aviez-vous remarqué la disparition de ce jouet dans la chambre de votre fils?

— Pas sur le moment.

27

La Subaru des stups filait sur l'autoroute en direction de Morges. Par chance, l'axe Yverdon-Lausanne était fluide. La circulation grossissait à l'approche de la capitale vaudoise et s'encombrait carrément depuis l'échangeur de Crissier. L'enfer des pendulaires ! En Suisse romande, on appelle « pendulaires » les quatre millions de personnes qui « pendulent », qui font des allers et des retours pour regagner leur lieu de travail. C'est sans doute une des raisons pour lesquelles les journées professionnelles commencent et finissent si tôt. Pour éviter la circulation. La Subaru était à l'arrêt total.

— J'aurais pu y aller seule, pesta Tanja sur le siège passager.

Ses jambes tremblaient et ce n'était pas l'effet de la climatisation.

— Dans ton état, hors de question, répondit Garcia.

— Tu as pu obtenir d'autres infos de la police vaudoise ?

— Non. Si ce n'est qu'ils n'ont trouvé que du sang. Pas de corps.

— Peut-être que Loran n'est que blessé ?

— Écoute, Tanja ! On ne sait même pas s'il s'agit de ton fils.

Garcia s'abstint de dire à Tanja qu'au vu de la quantité de sang retrouvée à côté du jouet il était illusoire de penser qu'un enfant de deux ans puisse être encore en vie.

— Je ne suis pas certain que ce déplacement soit une bonne idée, ajouta le commissaire.

— Dans ce cas, pourquoi sommes-nous là ?

— Parce que si je t'avais ordonné de rester à Neuchâtel, tu ne m'aurais pas obéi.

Tanja se tut. Dan avait raison. Ils n'échangèrent aucune parole jusqu'à la sortie d'autoroute Morges-Est. Aux premiers feux, la Subaru tourna à gauche et traversa la ville. À hauteur du bâtiment abritant le ministère public de l'arrondissement de La Côte, Tanja reprit à haute voix le fil de ses pensées.

— De toute façon, je sais que les collègues vaudois ne voudront rien me dire.

— Peut-être qu'ils ne savent pas grand-chose pour le moment…

— Même s'ils découvrent des trucs, ils vont les garder pour eux.

— C'est la procédure. Tu le sais.

— Je suis la mère de Loran, tout de même.

— Peut-être, mais à leurs yeux, tu n'es qu'un grain de sable dans un engrenage. Les besoins de l'enquête passent avant l'information des familles des victimes.

— Je peux te demander un service, Dan ?

Son ton s'était fait suppliant.

— Dis toujours.

— S'ils ne veulent rien me dire, promets-moi que tu me fourniras ton code d'accès à la base de données ADN.

Garcia tourna la tête et sourit, gêné.

— Un commissaire des stups n'a pas ce genre d'accréditation.

— Tu en as une, Dan. Je le sais. Je me fiche de savoir comment tu l'as obtenue. Mais tu en as fait usage pour rendre service au procureur Jemsen, après l'attentat.

La Subaru tourna vers le château de Morges. Quatre tours fièrement dressées à l'extrémité ouest du quai du Mont-Blanc, qui abritaient chacune un musée, dont une fameuse collection d'armes, du Moyen Âge à la guerre froide.

La requête de Tanja contrariait Garcia. Cet accès pirate à la base fédérale ADN n'était pas censé exister. Il finit néanmoins par accepter.

— Mais tu connais ma devise, dit-il. Ne t'avise jamais de pisser contre le vent.

— En tant que femme, ça ne risque pas de m'arriver.

— Tu m'as très bien compris. Je te fais confiance. N'en profite pas. Il y a quelques années, un jeune coéquipier qui fut aussi mon ami l'a appris à ses dépens.

Tanja comprit qu'il parlait de l'inspecteur Mike Donner. Elle ne l'avait pas connu, mais elle avait beaucoup entendu parler de cette histoire et de sa dramatique issue.

— T'inquiète, Dan.

Ils abandonnèrent la voiture banalisée vers le port de plaisance et gagnèrent l'allée qui prolongeait le quai Igor-Stravinski et faisait office de digue et de ponton d'amarrage. À l'extrémité du môle, au pied d'une guérite, des rubalises de la police vaudoise interdisaient l'accès aux trois derniers bateaux. Des silhouettes en combinaison blanche s'activaient sur le pont arrière d'un voilier. Tanja et Garcia franchirent le ruban rouge et blanc, sur lequel on pouvait lire «police zone interdite». En les apercevant à l'intérieur du périmètre, un gendarme s'approcha d'eux. Le chef des stups montra sa plaque.

— Je suis de la police neuchâteloise. J'ai avisé votre centrale de notre arrivée.

— On ne nous a pas informés, répondit le gendarme, contrarié.

Tanja laissa les deux hommes s'expliquer et se dirigea vers le voilier d'un pas hésitant. Quand Garcia le remarqua, il était trop tard. L'inspectrice fédérale avait déjà mis un pied sur la passerelle de l'embarcation. Dan vit sa collègue chanceler, puis se rattraper à une corde du bastingage. Elle se mit à pleurer et à pousser un hurlement déchirant. Tanja écarta brutalement un membre de la police scientifique et tomba à genoux sur le pont.

Quand Garcia la rejoignit, elle était prostrée au milieu d'une grande tache de sang à moitié séché. Des éclaboussures brunâtres maculaient le pont. Environ deux litres de sang. Toute la vitalité d'un enfant en bas âge. Tanja hurlait de douleur en injuriant le ciel. On entendait ses hurlements jusque sur les quais de Morges.

Dans ses mains, elle brandissait un dauphin en peluche.

28

La présidente du tribunal criminel avait ordonné une brève suspension d'audience. Une pause en plein interrogatoire de la prévenue, avant d'aborder les accusations les plus graves. Avec l'aval des gendarmes, les agents de sécurité avaient autorisé Tanja à fumer une cigarette. Avant sa détention, elle ne fumait pas. Ou très exceptionnellement dans le cadre d'infiltrations, sous le coup du stress ou pour les besoins du personnage qu'elle s'était créé, sa *légende*.

Menottée, entourée de ses gardiens, Tanja savourait chaque bouffée. La fumée qu'elle laissait doucement filtrer entre ses lèvres finissait par se confondre avec la buée de sa respiration dans le froid. La neige recouvrait déjà ses cheveux. Sensation de fraîcheur, de liberté. Un agent regarda sa montre et écourta l'agréable parenthèse.

— Faut y aller. C'est l'heure.

Ils traversèrent les locaux de la police de proximité, qui occupait le rez-de-chaussée de l'hôtel de ville, et montèrent au premier étage. Dans le couloir, Tanja vit son avocat discuter avec le procureur, ce qui ne la rassura pas. Qu'est-ce que les deux adversaires pouvaient bien se dire ?

En apercevant sa cliente, Me Studer vint à sa rencontre et l'encouragea.

— C'est parfait, continuez comme ça. Mais surtout, n'entrez pas dans le jeu de provocation de la présidente. Répondez calmement à ses questions et tout se passera très bien. Le tribunal n'a aucune preuve solide contre vous en ce qui concerne les principales préventions.

Tanja aurait voulu lui répéter ce qu'elle lui avait déjà dit en prison : « C'est normal, puisque je n'ai rien fait. » Mais c'était inutile. Son avocat le savait et la croyait.

En entrant dans la salle d'audience, Tanja sentit sa tête tourner. L'effet de la cigarette à jeun. Elle n'avait rien avalé depuis la veille. En vérité, elle imposait à son corps les meurtrissures de son âme. Depuis la mort de Loran, elle ne se nourrissait plus.

— À quel moment avez-vous compris que le sang, sur le pont du voilier, était celui de votre fils ?

— Je l'ai su dès l'instant où Dan m'a parlé de cette découverte.

— Pourtant, à ce moment-là, le commissaire Garcia ne détenait aucune information précise au sujet du jouet retrouvé sur les lieux.

— C'était une intuition. Une mère sent ce genre de chose.

— En arrivant à Morges, vous vous êtes précipitée, sans combinaison de protection, au beau milieu de la tache de sang. C'était votre intuition de mère ?

— J'avais reconnu le dauphin en peluche de Loran. Tout a basculé. J'ai perdu le contrôle.

— Ce qui vous arrive souvent, on dirait.

— Après avoir perdu ma mère, je venais de perdre mon fils.

Tanja s'abstint de rajouter «connasse», mais le pensa si fort que la juge dut l'entendre dans son subconscient.

— En réalité, ne vous êtes-vous pas délibérément lancée sur cette tache de sang dans l'espoir de recueillir un échantillon d'ADN ?

— Non. Je n'en avais pas besoin. J'avais la peluche pour me convaincre.

— Mais des jouets comme celui-ci, il en existe des milliers. Je pense plutôt que c'était plus fort que vous. Une intuition ne suffisait plus. Il vous fallait une confirmation scientifique.

— Je l'aurais obtenue tôt ou tard par la police vaudoise.

— Plutôt tard que tôt, et ça vous le saviez. Or, il vous fallait une confirmation rapide. N'est-ce pas ce que vous avez demandé au commissaire Garcia ?

Tanja ne répondit pas à la question. Elle ne se rappelait plus exactement ce que Dan avait écrit dans son rapport. Elle ne voulait pas alimenter l'enquête disciplinaire qu'il avait déjà sur le dos. La juge comprit qu'il était inutile d'insister et décida d'avancer sur la chronologie des faits.

— Après Morges, vous avez mystérieusement disparu. Pouvez-vous nous dire ce qui vous est arrivé ?

— Je ne m'en souviens plus. J'ai des flashs. Dan et un gendarme vaudois qui me soutiennent, le dauphin ensanglanté serré contre moi, mes pas chancelants jusqu'à la voiture. J'étais comme ivre. Après, c'est le trou noir. D'après ce que m'a dit Dan, j'ai refusé de voir un médecin, et je l'ai même frappé pour l'obliger à me laisser chez moi. Je me serais enfuie de la voiture. Je ne me souviens de rien. Tout ce que je me rappelle, c'est de m'être réveillée dans un endroit improbable. Sous terre.

La route défilait, le moteur V6 de l'Audi TT ronron-
nait. L'autoradio diffusait *Money for Nothing* de Dire
Straits. Les deux mains battaient le rythme sur le cuir
du volant. Les longs cheveux blonds volaient d'avant en
arrière, suivant les mouvements de la tête. Sans les comprendre, le conducteur déformait les paroles en anglais.

You play the guitar on the MTV
That ain't workin' that's the way you do it
Money for nothin' and your chicks for free

Serge Rochat chantait faux, à tue-tête, la vitre baissée. Il aimait l'idée que les passants puissent entendre ce
qu'il écoutait. De temps à autre, il dépassait une fille qui
marchait sur le trottoir, ralentissait, baissait ses Ray-Ban
pour mieux apprécier les formes sous la jupe. Puis pour-
suivait sa route le sourire aux lèvres. La vie était belle.

Serge rentrait chez lui, après un après-midi à la plage
avec ses potes. Ils avaient un peu bu et pas mal fumé.
Arrivé chez lui, il s'affalerait sur le canapé et regarderait
la télévision. Peut-être qu'il dormirait un moment. Ce
soir, il ressortirait faire la fête.

Les grands arbres sur sa gauche filtraient les rayons du
soleil, le rideau d'ombres et de lumières battait devant

ses yeux. Mais Rochat connaissait la route. Il ne prêta pas attention au bus scolaire arrêté sur l'autre voie, et le croisa sans ralentir. À l'arrière du bus, une forme traversa devant lui sur le passage piéton. Le cœur de Serge fit un bond, il ouvrit la bouche pour crier, planta les freins.

Le choc fut violent.

Quand Rochat comprit ce qui venait de se passer, le corps de la fillette gisait sur la chaussée à une dizaine de mètres devant l'Audi. Des gens couraient et criaient. La voix de Mark Knopfler continuait de résonner à plein régime dans la rue d'Auvernier.

Look at that, look at that
Money for nothin' chicks for free
I want my, I want my MTV

Serge Rochat se réveilla en sursaut. Il haletait, son pouls battait trop vite. Il n'avait plus fait ce cauchemar depuis longtemps. La musique était encore dans sa tête. Le sifflement des pneus, le bruit du choc, aussi. Les sons se répétaient, encore et encore, comme un disque rayé.

Serge avait mal à la tête. Il aurait voulu chasser ce bruit de son cerveau, mais le martèlement continuait. La musique, le freinage, le choc contre la carrosserie. Ça suffisait. *Assez !*

Il avait ouvert les yeux, il ne voyait rien.

Rêvait-il encore ?

Il était sûr que non. Il était réveillé. Ses habits étaient mouillés. Il avait froid. Il tremblait.

La musique, le freinage, le choc. Ça recommençait. Il se débattit, pensa être devenu aveugle. La folie le guettait. Il porta ses mains à son visage, sentit un masque sur ses yeux, le retira. Il voyait. Les sons se répétèrent, il arracha de ses oreilles une paire d'écouteurs. Le silence revint. Enfin.

C'est quoi, ce bordel ?

Serge regarda autour de lui. Il était assis sur de la roche humide. Le sol était recouvert d'une mousse verte. Du limon jaunâtre maculait ses vêtements. Il voulut se relever, mais sa tête heurta la paroi. Il émit un grognement, qui résonna dans la pénombre. Une ampoule électrique diffusait une légère clarté dans la petite grotte. Le seul son qui parvenait aux oreilles de Rochat était celui de l'eau. Une rivière souterraine devait s'écouler un peu plus loin.

Qu'est-ce que je fais ici ?

Serge tenta de remettre de l'ordre dans ses souvenirs. L'accident d'Auvernier appartenait au passé. Depuis trois ans, il s'était repris en mains, s'était marié, il allait devenir papa. Sa vie avait été difficile. La procédure pénale, le retrait du permis de conduire, le regard des autres, la culpabilité. Élodie l'avait aidé à se relever. Ensemble, ils avaient monté l'entreprise, trouvé les fonds, démarché des fournisseurs et des clients.

La commande des moulins…

C'était son dernier souvenir.

Il revit l'arrivée au col des Roches, le déchargement des caisses de nourriture et l'étrange personnage qui l'avait accueilli. Il sursauta. Tapi dans l'ombre à quelques mètres de lui, immobile et silencieux, un homme l'observait.

30

En cours d'année, les locaux du ministère public neuchâtelois seraient déplacés à La Chaux-de-Fonds. Dictée par une répartition équilibrée des autorités entre le haut et le bas du canton, la décision politique d'un déménagement contrarait les magistrats. Norbert Jemsen ne faisait pas partie des opposants au projet. Il se moquait éperdument de ces querelles intestines, qui provoquaient d'interminables et stériles débats d'intendance. La guerre entre le Haut et le Bas ! Il y avait des sujets plus graves ! Mais dans cette petite Suisse trop tranquille, il fallait qu'on invente des problèmes. Et pour apaiser les tensions entre les Neuchâtelois du Littoral et les Chaux-de-Fonniers, l'État avait eu l'idée consensuelle et très helvétique d'un entre-deux. Le déménagement du ministère public coûterait plus cher au contribuable que le *statu quo*. Ménager la chèvre et le chou avait son prix.

En attendant le déménagement, Jemsen continuait d'occuper son bureau de la rue du Pommier, en plein centre de Neuchâtel, au pied de la colline du château. Il aimait se retrouver entre ces murs de vieilles pierres, surtout par une telle touffeur.

Il sortit de son bureau et avisa une secrétaire.

— Avons-nous reçu les données rétroactives du code IMEI du téléphone que Robert Balla a utilisé pour s'évader ?

Jemsen les avait demandées oralement, en urgence, au service de piquet du CSI, le Centre de services informatiques de la Confédération chargé de l'interface entre les autorités judiciaires et les opérateurs téléphoniques.

— Pas encore, monsieur le procureur.

— Prévenez-moi immédiatement quand elles arriveront. J'ai demandé qu'on nous les envoie sur la boîte mail du greffe.

— Le service IT[1] de la police a appelé, rebondit la secrétaire. Il faut un mandat pour analyser la mémoire de l'appareil.

— Ce sera fait. Flavie va s'en charger en arrivant.

— C'est que… Flavie a téléphoné pour prévenir qu'elle ne viendrait pas ce matin. Elle a dit qu'elle devait résoudre un problème d'ordre privé.

Jemsen fut contrarié que sa greffière ne l'ait pas averti personnellement de son absence, ce qui ne lui ressemblait pas.

— Dans ce cas, pourriez-vous vous-même ouvrir un dossier contre inconnu pour assistance à évasion ? Vous établirez le mandat. Il faudrait aussi envoyer au CURML l'ordre de libération du corps de Toni Almeida. Quand ce sera fait, vous pourrez archiver le dossier.

— Pour quel motif ?

— Classement. Mort naturelle.

La secrétaire prit des notes manuscrites, puis elle

---

1. Le service IT de la police neuchâteloise regroupe les spécialistes en recherches informatiques (IT pour Information Technology).

se tourna vers l'écran de son ordinateur. Le procureur regagnait son bureau quand elle l'interpella.

— Et aussi, monsieur le procureur… Les rétroactifs sont arrivés.

— Que disent-ils ?

La secrétaire ouvrit un fichier Excel joint au mail du CSI.

— Pas grand-chose. Une seule carte SIM, un seul appel, peu après une heure du matin.

— Le contraire m'aurait étonné. Pouvez-vous vous loguer sur la base de données CCIS ?

Le Call Center Information System permettait d'identifier les titulaires de cartes SIM.

— Oui, le ministère public dispose d'un accès.

— Faites-le et demandez à qui appartient cette carte SIM.

La secrétaire s'exécuta sous les yeux de Jemsen. La réponse fut instantanée. Le procureur ne put cacher sa surprise. L'abonnement Swisscom était enregistré sous le nom d'Alba Dervishaj.

31

Le dos appuyé contre la paroi rocheuse de la grotte, l'homme s'était assis en face de Serge Rochat. Ses longues jambes étaient étendues devant lui. Il était grand, presque deux mètres. Ses vêtements noirs étaient tachés de limon, comme les siens.

Serge fit un pas dans sa direction, en conservant une distance de sécurité. Il pointa un index accusateur vers l'homme et lui dit d'une voix tremblante :

— Qui êtes-vous ? Qu'est-ce que vous me voulez ? Pourquoi m'avez-vous amené ici ?

L'homme pencha son buste en avant. Il avait des cheveux hirsutes et une barbe mal taillée, son visage allongé apparut dans la lumière avec un sourire étrange.

Sans un mot, il se leva et se dirigea vers Rochat. Berti Balla le dominait d'une bonne tête et devait avoir vingt ans de plus que lui.

— Tu pourrais dire bonjour, dit l'Albanais en roulant les « r ». Mignonne comme tu es…

Berti caressa la joue de Serge de manière appuyée.

— Ne me touchez pas !

— Ne fais pas ta mijaurée. Tu te réveilles en face de moi, tu ne me dis pas bonjour et d'un coup, tu m'accuses de t'avoir amené ici. Sais-tu seulement qui je suis ?

Serge Rochat fut pétrifié par le ton paternaliste du géant albanais. Balla eut un nouveau sourire qui lui glaça le sang. Il n'eut pas le temps de faire un pas en arrière, deux larges mains le saisirent vigoureusement par le col de sa chemise et le plaquèrent contre la roche. Serge cria de douleur, puis se mit à gémir.

— Ta gueule ! dit l'Albanais. Cette nuit, je dormais paisiblement dans une cellule de La Chaux-de-Fonds. Et un enculé dans ton genre a trouvé intelligent de me faire sortir pour m'amener dans cet endroit pire qu'une prison. Alors, écoute-moi bien, ma jolie, tu as deux secondes pour me dire où on est et pourquoi je suis ici, si tu ne veux pas que j'élargisse ton trou de balle.

Rochat se mit à pleurer.

— Mais je ne sais pas où on est ! cria-t-il. Si je le savais, je vous le dirais.

Balla relâcha son étreinte et lui caressa une nouvelle fois la joue, avant de le regarder méchamment.

— Tu dois bien avoir une petite idée, non ?

Serge Rochat hésita. Tout se mélangeait. Son rendez-vous aux moulins du Col-des-Roches, l'enregistrement des sons de l'accident, ce géant albanais qui le menaçait.

Berti s'impatientait. Il retourna Rochat sans ménagement et lui plaqua le visage contre la paroi rocheuse. Il le saisit par sa tignasse blonde et tira sa tête en arrière. Puis il se colla contre Serge et lui susurra à l'oreille :

— Tu la sens, ma bite ? Ça fait longtemps que je n'ai pas bandé. Je pourrais tester ma virilité sur toi. Je pourrais aussi péter toutes tes dents avant de fourrer ma queue dans ta jolie petite bouche, comme ça, tu ne pourrais pas me mordre en me suçant. C'est une technique que j'ai déjà utilisée dans mon bordel, avec des putes récalcitrantes. Ça fonctionnait plutôt bien, mais c'était assez salissant.

Rochat se mit à pleurer de plus belle. Tétanisé, il était sur le point de révéler l'existence des moulins souterrains, quand une troisième voix résonna dans la grotte.

— Lâchez-le !

32

Perchée sur l'estrade du tribunal criminel entre ses deux assesseurs, la présidente tourna quelques pages du lourd dossier et s'adressa à la prévenue.

— Quel est le rapport entre Robert Balla et Serge Rochat?

— Aucune idée.

— Selon vous, se connaissaient-ils avant les événements des moulins?

— Je ne sais pas.

— Et Alain Keller?

À l'évocation du mari de Flavie, Tanja se tourna vers Jemsen. Le procureur ressentait sans doute un certain malaise, mais il ne le laissait pas paraître.

En cours d'instruction, Me Studer avait soulevé la question de la récusation de Jemsen, Tanja s'y était opposée.

— Je ne suis pas sûre de comprendre votre question, murmura-t-elle.

— Alain Keller connaissait-il Serge Rochat? précisa la juge.

— Bien sûr, répondit Tanja. C'est l'homme qui a tué sa fille. À l'époque, Alain Keller avait suivi le procès de Serge Rochat.

— Et selon vous, Alain Keller connaissait-il Robert Balla ?

— J'imagine.

— Pourquoi l'imaginez-vous ?

— Parce que Alain Keller était client du Perla Blu, le salon de massage de Berti. Ils s'y sont probablement croisés. Berti était souvent derrière le bar pour recevoir les clients.

Tanja s'abstint de déclarer que pendant sa mission d'infiltration elle avait elle-même dû coucher avec le mari de Flavie. Cette précision ne regardait pas le tribunal.

— Est-ce que Serge Rochat était aussi client du Perla Blu ?

— Je l'ignore. En tout cas, je ne l'ai jamais vu dans l'établissement. Mais je n'y suis restée que six mois.

L'avocat de Tanja leva la main.

— Oui, maître ? s'étonna la magistrate.

— Madame la présidente, toléreriez-vous une question de ma part à ce stade ?

— Le code prévoit que les questions des parties interviennent après celles du tribunal, mais si la vôtre est en lien avec le sujet…

— Elle l'est.

— Alors faites, mais soyez succinct.

Me Studer s'adressa à Tanja.

— Donc, si j'ai bien compris votre dernière réponse, vous ne pouvez pas exclure que Robert Balla et Serge Rochat aient pu se rencontrer avant les événements des moulins ?

— Je ne peux pas l'exclure, en effet.

L'avocat se tourna vers la magistrate.

— Pas d'autre question à ce stade, madame la présidente. Je vous remercie.

La magistrate reprit l'interrogatoire.

— La police a retrouvé un téléphone, qui a servi dans l'évasion de Robert Balla. Pourtant, la carte SIM insérée dans cet appareil n'était pas au nom d'Alain Keller ni au nom de Serge Rochat, mais au nom d'Alba Dervishaj. Comment l'expliquez-vous ?

— Quelqu'un a cherché à me piéger.

33

— Lâchez-le !

La voix résonna dans la grotte. Berti Balla et Serge Rochat tournèrent la tête en même temps. Une silhouette se détachait en ombre chinoise devant une ampoule électrique accrochée à la paroi rocheuse. L'homme traversa une passerelle métallique, franchit une barrière et les rejoignit en marchant sur des planches posées sur le limon et la pierre.

Balla lâcha Rochat. Serge essuya ses larmes. Il allait remercier son sauveur, quand son visage passa du soulagement à la surprise.

— Vous ?

Le visage d'Alain Keller se dessina dans la pénombre.

— Je vous reconnais, reprit Rochat d'une voix de fausset. Vous êtes le père de la petite.

Berti ne comprenait rien.

— Tu es qui, toi ? demanda-t-il suspicieux.

— C'est le père de la petite, répéta le blond, entre peur et excitation.

— Quelle petite ?

— La fille que j'ai renversée sur un passage pour piétons, il y a trois ans.

— Elle s'appelait Mathilda, dit Keller.

Serge se mit à crier, en pointant Keller d'un doigt accusateur.

— C'est lui ! C'est lui qui nous a amenés ici. Vous comprenez ?

Sur ses gardes, l'Albanais conservait son calme.

— C'est quoi, cette histoire ?

— J'ai tué sa fille… Il veut se venger.

— Taisez-vous ! cria Keller.

— Que je me taise ? Mais vous êtes un grand malade. Vous…

Rochat s'interrompit et se tourna vers Balla.

— Et vous ? Que lui avez-vous fait ? C'est à cause de lui si nous sommes ici.

Berti dévisagea Alain Keller. Le visage de l'homme lui rappelait vaguement quelque chose, mais rien qui le rattachait à la mort d'une personne. Des hommes et des filles, il en avait éliminé. Des fouineurs, des concurrents, des traîtres, des putes insoumises. Il se souvenait de chaque exécution. Aucune de ses victimes n'avait de lien avec ce type.

Avant que Balla ne réponde, Keller s'énerva, passant du voussoiement au tutoiement.

— Ta gueule, Rochat ! Ferme-la ou je te fais bouffer de la glaise !

La menace fit taire le blond. L'espace de quelques secondes, seul le bruit de l'eau qui s'écoulait au fond de la grotte meubla le silence. Berti s'approcha de Keller. Le géant dominait le banquier au costume sale et déchiré.

— Je te reconnais, dit-il. Tu es venu dans mon bordel de Neuchâtel, le Perla Blu.

— Une seule fois, répondit Keller.

— Peut-être, mais j'ai une bonne mémoire. Je peux même te dire que tu as choisi Alba pour te vider les couilles et ça, je ne suis pas près de l'oublier.

— C'est possible. Je ne me souviens pas du nom de la fille. Mais je me rappelle très bien l'arrivée des flics qui a interrompu la prestation. J'avais payé d'avance et vous ne m'avez pas remboursé.

— Moi, je me souviens que tu es parti la queue entre les jambes. C'est pour ça que tu m'as amené ici ? Pour que je te rembourse une passe ?

Keller eut un sourire triste.

— Je ne vous ai pas amené ici.

Il désigna Rochat.

— Et lui non plus, d'ailleurs. Même si les circonstances semblent effectivement me servir la vengeance sur un plateau.

— Alors, qu'est-ce que tu fais là ? demanda l'Albanais.

— Je vous retourne la question à tous les deux. La dernière image que je garde en mémoire est celle du parking de la place Pury. J'allais y récupérer ma voiture en sortant de la banque. Puis c'est le trou noir, jusqu'à mon réveil dans cette grotte.

Balla indiqua la direction d'où Alain Keller était arrivé.

— Qu'est-ce qu'il y a là-bas ?

— Des escaliers en métal. J'ai repris conscience dans un étroit tunnel taillé dans la roche, un peu plus haut. C'est un véritable enchevêtrement de couloirs souterrains. Je ne sais pas où on est ni pourquoi on est ici, mais il faut trouver la sortie. Et le plus vite serait le mieux !

34

En fin de matinée, Dan Garcia rejoignit Norbert Jemsen au ministère public.

— On m'a dit que je vous trouverais à votre bureau. Pas trop fatigué ?

— J'ai connu pire. Et vous ?

— J'ai connu mieux.

Le commissaire avait un cocard à l'œil droit.

— Que vous est-il arrivé ?

— Tanja…

— Elle n'est pas avec vous ?

— Non. Ça s'est mal passé à Morges. Quand elle a compris que je ne la raccompagnais pas chez elle, mais que je l'emmenais chez son médecin, elle a mal réagi.

— Elle vous a frappé ?

— Ce n'est rien. Ce qui m'ennuie plus, c'est que je l'ai perdue. Elle est descendue de la voiture comme une furie et je ne sais pas où elle est allée. Dans son état, ça m'inquiète.

Jemsen hésita.

— À Morges… ?

— Je ne sais pas si c'est le sang de son fils. Tanja en est persuadée. Jamais elle n'attendra les résultats de l'enquête vaudoise.

— Que pourrait-elle faire ?

— Je ne sais pas. Mais elle m'a convaincu de lui donner mes codes d'accès à la base de données ADN. Je n'avais pas le choix. Je ne suis pas censé avoir ces codes et elle est au courant pour…

Le commissaire ne termina pas sa phrase. C'était inutile. Jemsen avait compris. Tanja l'avait menacé de dévoiler ce que Garcia avait fait pour lui l'année dernière.

— Que peut-elle faire avec ces codes d'accès ?

— Tout ce qu'elle cherche, c'est un accès actif, que seule une personne accréditée est censée détenir. Mais je pense qu'elle veut juste contrôler le profil que les Vaudois vont insérer dans la base de données. Une comparaison de l'ADN du sang retrouvé sur le voilier avec celui des parents de l'enfant. Ils ont l'ADN de Tanja.

— Encore faudrait-il qu'ils connaissent le père de l'enfant ?

— Ce n'est pas nécessaire. L'ADN de la mère devrait suffire.

— Qu'allez-vous faire maintenant ? demanda Jemsen.

— Je vais surveiller l'historique des connexions à la base de données fédérale. Dans les limites de mes compétences, parce que je ne peux pas demander l'aide du service IT. Officiellement, mon compte n'existe pas.

— Vous êtes capable de localiser Tanja grâce à ses connexions ?

— Théoriquement, oui. Ce n'est qu'une question d'adresse IP. Mais si elle se connecte depuis son téléphone ou depuis un ordinateur portable, les informations seront périmées le temps que nous les recevions.

— Vous avez une idée de l'endroit où elle a pu aller ?

— Tanja n'a pas de famille dans la région. Et très peu d'amis ou de connaissances en qui elle puisse avoir confiance. N'est-elle pas intime avec votre greffière ?

La liaison entre les deux femmes n'avait jamais été officialisée et conservait une dimension secrète, probablement à cause du mari de Flavie Keller. Garcia se doutait-il de quelque chose ? Jemsen décida de ne pas le contredire sans rien lui confirmer.

— Le problème, c'est que depuis ce matin je n'arrive pas à joindre ma greffière. Une question d'ordre privé, d'après ce qu'elle a dit au greffe pour excuser son absence. Mais j'ai un autre problème sur les bras…

Le procureur tendit au commissaire la réponse de Swisscom. Garcia lut le nom d'Alba Dervishaj sur le document.

— Qu'est-ce que c'est ?

— L'identité de la détentrice de la carte SIM insérée dans le téléphone qui a permis l'évasion de Berti Balla.

Garcia fronça les sourcils.

— Mais ça n'a pas de sens. Pourquoi Tanja enregistrerait-elle une carte SIM sous le nom d'une de ses *légendes* ? Quel intérêt aurait-elle eu à s'incriminer ? En le faisant, elle devait savoir que nous obtiendrions l'information.

— À condition de trouver le téléphone.

— Même sans téléphone, nous serions tombés tôt ou tard sur cette info. Une recherche par champs d'antennes aurait suffi.

— Elle n'a peut-être pas pensé à tout, suggéra Jemsen.

— Ou quelqu'un cherche à la piéger, répondit Garcia.

Son téléphone vibra. Il lut le SMS et pâlit.

— Qu'est-ce qui se passe ? s'inquiéta le procureur.

— Le service forensique m'informe qu'un échantillon biologique prélevé sur le fil du *téléphérique* ayant servi à l'évasion vient de matcher. C'est l'ADN de Tanja.

35

Balla et Rochat suivirent prudemment Keller. L'escalier métallique remontait le long d'une veine dans la roche dont on ne pouvait savoir si elle avait été creusée par l'homme ou par la rivière souterraine. Une grille rouillée surmontait un puits sans fond. On devinait malgré l'obscurité qu'il plongeait dans les entrailles de la terre. De vieilles poutrelles oxydées renforçaient les parois rocheuses là où des cheminées menaient à la verticale vers les niveaux supérieurs de la grotte.

Les trois hommes avaient froid. Leurs habits étaient mouillés. L'humidité régnait partout. Les gouttes qui suintaient de la pierre s'écrasaient en claquant, avec le bruit agaçant d'un robinet qui fuit. La température était constante. Le thermomètre ne dépassait pas les sept degrés.

Balla, Rochat et Keller les uns derrière les autres gravirent les marches abruptes et glissantes jusqu'à un élargissement de la veine. Ils s'arrêtèrent devant un spectacle qui les précipita quatre siècles en arrière. La cavité naturelle était plus haute que large et abritait une imposante structure en bois. Des poutres soutenaient une roue hydraulique de plusieurs mètres de diamètres.

De l'eau s'écoulait d'un bisse en bois qui sortait de

la paroi rocheuse. En son extrémité, l'eau tombait dans les augets et entraînait la rotation de la roue. Un système d'engrenages actionnait une tige métallique qui disparaissait dans un orifice creusé dans le plafond de la grotte. Le mécanisme tournait lentement et crissait.

— C'est quoi, cet endroit? ronchonna Balla.

— Aucune idée, répondit Keller.

— Les moulins souterrains du Col-des-Roches, dit Rochat.

— Comment tu le sais? demanda l'Albanais.

— Parce que je les ai déjà visités et que je faisais une livraison de nourriture ici au moment où j'ai été kidnappé.

— Une livraison de bouffe? s'étonna Keller.

— Oui. C'est mon job. Je livre des produits locaux et bios. Une petite entreprise que j'ai montée l'année dernière avec ma femme.

— Pourquoi ici? Ce n'est pas un lieu public, d'ordinaire?

— Si, mais c'était fermé pour travaux. Celui qui m'a commandé la nourriture m'a dit que les moulins allaient rouvrir. J'en ai déduit qu'une petite inauguration se préparait.

— Inauguration, mon cul! ricana Balla. Tu t'es fait baiser profond.

Rochat répondit de manière provocatrice.

— Peut-être, mais moi, je ne me suis pas fait enculer par un pseudo-complice.

Berti agrippa Serge par ses habits et le plaqua violemment contre une poutre en bois, non loin des engrenages en mouvement.

— Espèce de petite merde, c'est pas parce que le

gentil papa de Mathilda t'a évité un labourage de rondelle que je ne pourrais pas laminer ta jolie petite gueule dans ces rouages.

Balla s'apprêtait à écraser son poing serré sur le visage de Rochat. Keller lui retint le bras.

— Arrêtez vos conneries ! cria-t-il. Ce n'est pas le moment. Il faut trouver un moyen de sortir d'ici.

— Il n'y en a pas, résonna une quatrième voix dans la grotte.

36

La présidente du tribunal criminel ne croyait pas Tanja, c'était une évidence. Et si elle ne la croyait pas, ses deux assesseurs non plus. Les trois juges avaient lu le dossier avant l'audience. Ils avaient dû échanger leurs impressions. Mais ce qui faisait le plus de peine à Tanja, c'était d'imaginer que Jemsen et Garcia avaient la même opinion d'elle : une menteuse.

— Donc, ce n'est pas vous qui avez conclu cet abonnement Swisscom ?

— Non.

— La police et le ministère public n'ont pas pu faire la lumière sur cette question. Il est envisageable qu'un tiers ait pu acheter cette carte SIM sous votre nom. Mais comment expliquez-vous la présence de votre ADN sur le fil du *téléphérique* utilisé dans l'évasion de Robert Balla ?

— Je ne sais pas.

— Ça fait aussi partie du piège qu'on vous aurait tendu ?

— Je ne vois pas d'autre explication.

— Sauf qu'il est plus difficile de croire qu'un tiers ait pu déposer votre ADN sur un objet. La police scientifique n'a retrouvé que deux profils sur ce câble, celui de Robert Balla et le vôtre.

— Ce doit être une erreur.

— Il n'y a pas d'erreur. L'unité de génétique forensique du CURML a refait les analyses à trois reprises. Le résultat est formel.

— Mon avocat m'a fait lire le rapport du CURML. Je ne conteste pas qu'il s'agisse de mon ADN. Ce que je veux dire, c'est que l'absence d'un troisième ADN sur le fil ne signifie pas qu'il n'y ait pas eu de troisième personne.

La magistrate afficha une moue dubitative.

— Oui, c'est ce que vous avez déclaré au procureur en cours d'instruction : une troisième personne qui aurait porté des gants.

— C'est une hypothèse.

— Comme toutes celles que vous émettez ?

— J'en suis réduite à des hypothèses, parce que je n'arrive pas à prouver mon innocence.

— C'est à la justice de prouver votre culpabilité et non à vous de prouver votre innocence. Et ça, vous l'avez bien compris. C'est ce que votre avocat a plaidé tout au long de l'instruction pour tenter de vous faire sortir de prison.

Tanja sentit que la juge voulait clore le sujet. Elle ajouta :

— Je me demande aussi pourquoi, sur ce fil, on n'a retrouvé l'ADN d'aucun gardien. Ils sont intervenus les premiers après l'évasion de Berti.

— Si votre avocat vous a fait lire le dossier, le rapport d'événement de l'EDPR[1] ne vous aura pas échappé.

---

1. Établissement de détention La Promenade, à La Chaux-de-Fonds (abréviation officielle).

Il y est mentionné qu'ils n'ont rien touché avant l'arrivée de la police.

Tanja connaissait ce rapport. Elle connaissait tout le dossier sur le bout des doigts, c'était sa seule lecture de chevet à la prison de Lonay. Elle savait qu'elle était piégée.

— Il n'y a qu'une personne qui aurait pu désigner le complice de l'évasion, soupira-t-elle. C'est Berti.

— Sauf que Robert Balla n'est pas en mesure de répondre aux questions de ce tribunal, conclut la magistrate. Mais nous entendrons tout à l'heure deux autres témoins, qui nous donneront leur version de ce qu'ils ont vécu sous terre.

Balla, Rochat et Keller se tournèrent tous les trois vers le quatrième intervenant. Il les dominait. Debout au sommet d'un autre escalier qui menait à l'étage supérieur de la grotte, l'homme était habillé comme le banquier. Son costume était déchiré au niveau de la manche gauche, sa chemise blanche était tachée, sa cravate dénouée. Il avait une mine très pâle et semblait épuisé.

— C'est à toi qu'on doit cette charmante réunion ? demanda le proxénète.

Le nouvel arrivant descendit d'une marche et se pencha pour mieux voir les trois autres. Il ne les connaissait pas. Pas plus qu'eux ne le connaissaient.

— Hélas non, répondit Frédéric Ansermet. Et à en croire la discussion que je viens d'entendre, nous sommes tous les quatre dans la même situation. Prisonniers de cet endroit.

— Vous avez dit qu'il n'y avait pas d'issue ? demanda Keller. Qu'est-ce qu'il y a là-haut ?

— Comme ici. De la roche, des constructions en bois, des engrenages métalliques. On dirait une sorte de moulin.

— C'est un moulin, confirma Rochat. Je suis apparemment le seul à connaître cet endroit. Si je me rappelle bien, il y a deux sorties en haut.

— Elles sont verrouillées, répondit Ansermet. Pas moyen de forcer les portes. J'ai essayé. Elles sont solides comme la pierre. Je vous l'ai dit, nous sommes prisonniers.

— Mais de qui ? gémit Rochat.

— Je n'en sais rien.

— Vous avez vu quelqu'un d'autre ?

— À part vous trois, non.

— Dans ce cas…

Keller hésita. Les trois autres le regardèrent de manière insistante, attendant sa conclusion.

— Dans ce cas ? le relança Balla.

— Soit nous aurons bientôt des nouvelles de notre geôlier, soit l'un de nous quatre se fout de la gueule des trois autres.

Ils échangèrent des regards méfiants. Assez vite, Rochat et Keller fixèrent Berti.

— Hé là ! grogna l'Albanais, je ne me suis pas évadé d'une prison pour foncer tête baissée dans une autre. Je suis peut-être un criminel, mais je ne suis pas fou.

— Un criminel ? s'étonna Ansermet. Quel genre de crime avez-vous commis ?

— Ils sont trop nombreux pour que je les confesse à un inconnu dans ton genre.

— Et vous ? demanda Ansermet à Rochat et Keller.

— Moi, je suis banquier, répondit Alain Keller.

— Et moi, un petit entrepreneur de la région, dit Serge.

— Quelle région ?

— Neuchâtel.

— Parce qu'on est à Neuchâtel ?

— Si nous sommes où je crois, nous sommes au col des Roches, entre Le Locle et Les Brenets, à proximité de la frontière française.

Et Rochat résuma les derniers moments dont il se souvenait avant d'avoir perdu connaissance.

— Et toi ? le coupa Balla en s'adressant à Ansermet, qui es-tu ?

— Moi, je suis…

Ansermet hésita. Le géant à l'accent albanais venait de se présenter comme un criminel. Était-ce une bonne idée de lui révéler qui il était ? Il s'imagina mentir, puis se ravisa. Au point où ils en étaient, des mensonges ne feraient que retarder la découverte des raisons pour lesquelles ils étaient ici.

— Je suis juge, lâcha-t-il. Au tribunal de Lausanne.

Berti le fusilla du regard.

— Juge ? C'est à cause de trous du cul comme toi que je suis en prison. Condamné pour des crimes que je n'ai pas commis. Alors, petit juge, c'est toi qui vas avouer la vérité. Tu nous as amenés ici pour nous juger une nouvelle fois ?

Menaçant, Balla s'avançait vers le bas de l'escalier. Ansermet remonta les marches à reculons. Keller tenta de retenir le proxénète, sans succès. Rochat suivait le mouvement.

Au sommet de l'escalier, Berti agrippa le juge par sa manche déchirée, dévoilant à l'intérieur du coude un hématome avec, en son centre, une marque de piqûre. Ansermet grimaça de douleur. Balla le relâcha.

— Qu'est-ce que tu as au bras, petit juge ?

— Je ne sais pas. Je me suis réveillé comme ça. C'est comme si on m'avait injecté un produit dans les veines.

Balla, Rochat et Keller se regardèrent. Ils eurent tous les trois la même idée en même temps et retroussèrent leurs manches.

38

De retour au BAP, Dan Garcia s'enferma dans son bureau et se connecta à la base de données fédérale ADN. Il regarda l'historique de son code d'accès. Tanja l'avait utilisé une heure auparavant. Elle n'avait pas perdu de temps. Sans surprise, le chef des stups constata qu'elle avait consulté plusieurs profils génétiques, le sien, celui de sa mère, et celui du sang qu'on avait retrouvé sur le voilier à Morges : il contenait des allèles connexes aux siens. La victime de Morges était bien son fils.

Un échantillon de l'ADN du père de l'enfant n'était pas utile à la résolution de la question. La base CODIS[1] renvoyait toutefois à un autre ADN enregistré. Garcia appuya sur le lien et lut le nom qui s'afficha à l'écran : Frédéric Ansermet.

Tanja ne lui avait jamais révélé le nom du père de Loran. Le nom d'Ansermet lui rappelait quelque chose. Il se logua sur Google et le moteur de recherche le

---

1. Combined DNA Index System : banque de données qui répertorie les profils ADN. C'est la banque suisse de données ADN, l'équivalent suisse du FNAEG français (fichier national automatisé des empreintes génétiques).

redirigea immédiatement sur une multitude d'entrées. La première occurrence était « Pouvoir judiciaire – État de Vaud ».

« Juge des affaires civiles et pénales, tribunal d'arrondissement de Lausanne, M. Frédéric Ansermet, président. »

Les autres sites renvoyaient à des médias romands, la RTS, *24 heures*, *Le Matin dimanche* ou *20 Minutes*, qui avaient traité des affaires que le magistrat avait jugées.

Le père de Loran Stojkaj était juge. Que Tanja ne lui en ait jamais parlé, Garcia pouvait le comprendre. C'était sa vie privée. Mais que faisait l'ADN d'un juge dans la base CODIS ? Le profil génétique était récent. Le chef des stups ne se voyait pas téléphoner à ses collègues vaudois pour demander une explication. D'autant que ce matin, à Morges, ils lui avaient clairement reproché d'avoir conduit Tanja sur une scène de crime qui ne relevait pas de sa compétence.

Au moment où Garcia s'apprêtait à lancer une recherche complémentaire, son téléphone vibra. C'était la centrale. On lui passa le chef de quart.

— T'es toujours de perm ?

— Oui, jusqu'à ce soir. Et je ne suis pas près d'aller me coucher, vu les événements des dernières trente-six heures. Qu'est-ce qui se passe ?

— Une certaine Élodie Rochat vient d'appeler pour signaler la disparition de son mari, Serge.

— Serge Rochat ? Ça me dit quelque chose.

— C'est le gars qui a shooté la petite Mathilda Keller sur un passage piéton.

— Ah oui, je me souviens. Quelle est la situation ?

— Il n'est pas rentré chez lui.

— Depuis quand ?

— Ce matin. Il s'est levé très tôt pour faire une livraison au col des Roches et depuis, elle n'a plus de nouvelles. Elle a essayé de le joindre de nombreuses fois, mais elle tombe sur la messagerie de son portable.

— Il a peut-être une maîtresse.

— Tu m'excuseras, mais je n'ai pas posé la question. Élodie Rochat est enceinte. Elle était complètement affolée au téléphone. Son mari avait tenté de se suicider après la mort de la petite Keller. C'était il y a trois ans, mais les rechutes, ça existe. Peut-être que l'idée d'avoir un enfant…

— OK. Demande à Mme Rochat de se présenter au BAP. La gendarmerie va traiter l'affaire dans un premier temps. Prenez sa déposition et, s'il te faut les dernières localisations du portable de son mari, rappelle-moi. Peut-être que d'ici là il aura refait surface.

39

Au sommet de l'escalier métallique, la grotte s'ouvrait sur une large cavité, éclairée par des ampoules électriques. Des murets de pierres séparaient les différents niveaux que reliaient des escaliers taillés dans la roche. L'architecture donnait le tournis, un vrai dédale. Par un puits, on devinait, une dizaine de mètres plus bas, l'endroit où Keller avait retrouvé Balla et Rochat. Le tout était dominé par un entrelacs de poutres formant une volumineuse galerie en bois de deux étages, avec, en son centre, un système d'engrenages qui tournait lentement, entraîné par les roues hydrauliques souterraines. Le mécanisme provoquait la rotation d'une grosse meule en pierre dont le crissement lancinant résonnait dans la caverne.

Balla, Rochat et Keller examinèrent leurs bras. Seul Ansermet portait une marque d'injection.

— Tu es celui qui a la plus sale gueule, lâcha l'Albanais, en dévisageant le juge. C'est pour mieux nous entuber ?

— Pas du tout, se défendit doucement Ansermet. Je ne sais pas plus ce que je fais ici que vous.

— Pourquoi nous entuber ? demanda Rochat, qui n'avait pas compris l'idée de Balla.

— Regarde-le, dit le proxénète. Ses habits déchirés, sa trace de piqûre dans le bras, sa gueule de mort en sursis. Pourquoi est-il plus mal en point que nous ? Pour mieux noyer le poisson, pour nous faire croire qu'il est une victime lui aussi. Pourquoi l'aurait-on piqué, lui ? Moi, j'ai eu droit à un chiffon de chloroforme.

— Moi aussi, confirma Keller.

— Pareil pour moi, dit Rochat.

— Eh bien voilà ! conclut l'Albanais. Ce monsieur est peut-être juste un juge qui joue les justiciers. Ou un homme lambda qui se prend pour un justicier, parce qu'on n'a même pas la preuve qu'il est vraiment juge.

— Ça suffit ! dit Ansermet. Si j'étais celui que vous dites, je ne vous aurais jamais avoué que j'étais juge. Surtout après que vous vous êtes présenté à moi comme un criminel. D'ailleurs, je ne vous connais pas et je ne sais même pas ce dont vous êtes accusé.

— Et moi, je n'ai aucune raison d'être jugé, dit Keller.

— Un banquier a toujours quelque chose à se reprocher, se permit Rochat en pensant aux difficultés qu'il avait eues à obtenir un crédit pour lancer son entreprise.

— Cliché, répondit Keller. Moi, je n'ai jamais tué personne. Toi, tu as assassiné ma fille, une gosse de sept ans qui rentrait de l'école, et tu t'en es tiré avec du sursis. Pas cher payé. Quant à lui, il a sûrement tué plein de monde.

— Jamais un enfant, grommela Balla.

L'Albanais n'avait jamais fait le moindre aveu concernant ses homicides. Quand il se rendit compte que sa dernière phrase en était un, il fusilla du regard

Ansermet. Il fondit sur lui et, furieux, arracha un pan de sa chemise. Des boutons sautèrent et tombèrent au sol. Balla palpa le torse du juge qui ne disait rien et levait les mains en signe de coopération en se laissant docilement fouiller.

— Qu'est-ce que vous faites ? dit Keller.

— Je cherche un micro.

— Il en a un ? demanda Rochat.

Le proxénète lâcha Ansermet et se tourna vers le blond.

— Non. Mais toi, peut-être que tu en as un. Après tout, qui me dit que vous n'êtes pas des flics, tous les deux ? Toi, avec ta gueule d'ange, tu ferais un bon agent infiltré. Et toi, toi qui n'es venu qu'une seule fois au Perla Blu, toi qui as choisi Alba comme par hasard le soir d'une intervention de la police, qui me dit que tu n'es pas un des leurs ? Qu'est-ce que vous cherchez ? À m'enculer, à tuer toutes les chances de m'en sortir dans la procédure d'appel ? Vous croyez que je n'ai pas compris votre petit jeu ? Maintenant, déshabillez-vous ! Tous les trois ! Je veux vous voir à poil !

L'Albanais ne plaisantait pas. Ses yeux étaient comme fous. Il s'avançait menaçant vers Keller, quand une voix métallique le stoppa.

— Bienvenue en enfer !

Les quatre hommes levèrent les yeux en même temps vers la structure de bois. Au deuxième étage de la galerie, une silhouette noire les dominait, avec sa robe de bure, sa capuche, ses gants, son loup vénitien et son masque respiratoire.

40

La silhouette fantomatique se dressait au-dessus des quatre hommes. Elle semblait tout droit sortie de l'esprit ténébreux d'un Lovecraft. Le seul qui ne se laissa pas intimider fut Balla. L'Albanais s'avança au pied de l'architecture boisée. Une main gantée de noir lui fit signe de stopper.

— Un pas de plus et je disparais aussitôt. Si c'est le cas, vous mourrez tous les quatre dans l'ignorance.

La voix grave et posée grésillait à travers le masque métallique.

— Montre ton visage, si tu n'es pas un lâche, provoqua le proxénète.

— Si je voulais vous montrer mon visage, je n'aurais pas pris la peine de me travestir ainsi.

Rochat intervint, la voix tremblante.

— Dites-nous au moins pourquoi vous nous avez amenés ici.

Le spectre noir marqua un silence et commença, d'un ton docte.

— Vous êtes ici dans un endroit unique en Europe. Un moulin à eau, un moulin souterrain. Au-dessous du sol coule un torrent. Personne là-haut ne s'en doute. L'eau tombe de plusieurs mètres sur ces roues bruissantes, qui tournent et menacent d'accrocher vos vêtements et de vous faire tourner avec elles. Les marches sur lesquelles vous vous trouvez sont usées et humides. Des murs de pierre, l'eau ruisselle et tout près s'ouvre l'abîme.

— J'imagine que vous n'êtes pas là pour faire le guide, cria Keller, qui s'étonna de son propre culot.

Le spectre le toisa et continua.

— Le Bied est la rivière qui traverse la ville du Locle. Elle s'écoule ici, dans le puits naturel du col des Roches et ressort quelque part de l'autre côté de la montagne, entre Les Brenets et la France. Il y a quatre siècles, cet endroit était une véritable usine souterraine, le seul qui permettait l'installation de moulins en raison du débit suffisant de l'eau. Grossie par les marais du Locle et d'autres eaux rassemblées, la rivière formait ici une chute de plusieurs mètres, qui entraînait la rotation de cinq roues à aubes.

— Et maintenant un cours d'histoire-géo, grogna Balla. Venez-en aux faits, qu'on en finisse !

— J'y arrive, Berti. J'y arrive.

En s'entendant appeler par son surnom, l'Albanais se tut brusquement.

— C'est plutôt un cours de géologie que je vais vous donner, reprit le spectre. Savez-vous pourquoi cet endroit est en travaux ? Évidemment, vous ne le savez pas. Parce qu'on a, comme on dit ici, caché la merde au chat. Aucun média n'en a parlé, même les journalistes l'ignorent. Il est toujours plus facile de parler de travaux que d'annoncer une catastrophe naturelle. Avez-vous remarqué comme l'eau s'écoule lentement ? C'est parce que quelque part en amont le Bied est obstrué. Un lac souterrain s'est formé et menace cette grotte. Une sorte de grosse poche d'eau qui continue de gonfler et n'attend que d'être libérée, comme le ventre d'une mère au neuvième mois de la grossesse.

La métaphore fit réagir Rochat. Il avait compris la menace et mâcha ses mots sous l'effet de la peur.

— Moi, je vais bientôt être papa. Je ne veux pas mourir ici. Dites-nous ce que vous attendez de nous !

— C'est très simple, répondit le spectre. L'un d'entre vous a assassiné la mère et l'enfant d'Alba Dervishaj. Trouvez qui il est, ramenez-moi sa tête et les trois autres pourront sortir d'ici vivants. Dans le cas contraire, vous mourrez tous les quatre. Selon mes calculs, vous avez une heure devant vous, avant que l'eau n'inonde cet endroit.

41

La neige qui tombait derrière les fenêtres se transforma en un brouillard opaque. Tanja revoyait la scène. Sa confrontation avec le *Vénitien*, la cave obscure de la ferme des Ponts-de-Martel, la fuite à travers les marais, le coup de feu qui résonnait dans la salle du Grand Conseil.

— Avez-vous conscience de l'inanité de votre théorie ? demanda la présidente à la prévenue. Le *Vénitien* est mort.

— Je le sais…

Pourtant, à l'époque, la police avait déjà eu des soupçons. Le mythe du *Vénitien* pouvait peut-être cacher un groupe de personnes et non une seule. Mais l'enquête n'avait jamais pu étayer cette hypothèse.

— Nous savons qui il était et nous avons tous cherché à comprendre ses motivations. Un anti-Robin des Bois, qui éliminait les pauvres pour sauvegarder les deniers de l'État. On ne peut imaginer plus pervers dans l'altruisme. Mais ce qui s'est passé dans les moulins souterrains du Col-des-Roches l'an dernier n'a rien à voir. Le mobile de l'enlèvement de ces quatre hommes était autrement plus égoïste. Découvrir qui avait assassiné votre mère et votre fils.

— Et aujourd'hui, je ne le sais toujours pas, murmura Tanja.

Un silence plana dans la salle d'audience. Une larme coula sur une joue de la prévenue. Le procureur Jemsen évita son regard. La magistrate soupira et reprit :

— Selon l'acte d'accusation, le ministère public pense que vous êtes l'auteur de ces rapts. Le niez-vous toujours ?

— Oui, je le conteste. J'étais aussi enfermée dans ces moulins.

— Admettons. Grâce au témoignage d'une personne que nous entendrons tout à l'heure, nous savons que le *Vénitien* – ou plutôt son mystérieux clone – a demandé à ses prisonniers d'identifier un assassin parmi eux. Mais à vous, si tant est qu'il existe, qu'est-ce que votre ravisseur a demandé ?

Tanja baissa la tête et répondit faiblement :

— Rien.

— C'est étrange, non ? Pouvez-vous expliquer au tribunal pourquoi votre ravisseur ne vous a rien demandé ?

— Parce que je ne l'ai jamais vu.

— Comme par hasard…

Tanja ne réagit pas à la provocation de la magistrate. Elle devait garder son calme à tout prix, comme le lui avait conseillé son avocat.

— Dans ce cas, reprit la présidente, si vous n'avez jamais vu votre ravisseur, comment savez-vous qu'il était revêtu d'habits similaires à ceux du *Vénitien ?*

— Je l'ai expliqué au procureur Jemsen durant l'instruction.

42

Tanja ouvrit les yeux. Elle n'eut pas l'impression d'avoir dormi. Elle était étendue sur un lit de camp, habillée, dans une petite pièce qui ressemblait à une chambre de veille. Une table de nuit, un bureau, une chaise, une armoire.

Elle se leva, regarda par la fenêtre. Elle était au rez-de-chaussée. Elle tourna la poignée, la fenêtre n'était pas verrouillée et s'ouvrait sur une vaste cour herbeuse, dans laquelle on pouvait voir les rails d'un chemin de fer désaffecté et les restes d'un muret en pierres. L'endroit ressemblait à un site de fouilles archéologiques.

La chaleur extérieure se mêla à la fraîcheur de la pièce. On devait être au milieu de l'après-midi.

Tanja massa ses tempes, frotta ses yeux. Elle n'avait que peu dormi depuis son retour de Corse, mais surtout elle n'avait rien mangé. Sur le bureau devant elle, il y avait des victuailles. Une assiette avec du pain de seigle, du fromage, de la viande séchée et des fruits frais.

Sans réfléchir, Tanja se rua sur la nourriture et l'engloutit comme une affamée. Ses deux mains allaient et venaient en alternance entre l'assiette et sa bouche. Elle mâchait à peine.

Les images des dernières quarante-huit heures lui remontaient à l'esprit. L'avion, l'article du journal, les appels infructueux à la police vaudoise, la visite dans l'appartement de la rue Neuve, les reflets bleutés du luminol, l'appel de Dan, le déplacement à Morges, le sang et le dauphin en peluche de Loran sur le pont du voilier.

Tanja lâcha les bouts de viande séchée qu'elle tenait dans ses mains et se précipita vers la poubelle, au pied du bureau. Elle vomit brusquement en éclaboussant le plancher. Les spasmes lui tirèrent des larmes de douleur.

Elle s'essuya la bouche d'un revers de manche et repensa au coup de poing qu'elle avait donné à Garcia. Elle s'en voulut. Jamais il n'avait été dans ses intentions de le frapper, mais comme ce trop-plein de nourriture, elle avait vomi sa rage de manière incontrôlée.

Les idées de Tanja étaient floues, comme la raison pour laquelle elle se trouvait en ce lieu. Le lit de fortune, le bureau, la bouffe. Elle se tourna vers l'armoire. Une force l'attirait vers ce vieux meuble vermoulu. Elle saisit les poignées et ouvrit les deux portes de bois.

Dans la partie gauche, une paire de gants en cuir noir, un loup vénitien de la même couleur et un masque respiratoire entremêlé de parties métalliques et de caoutchouc. À droite, sur un cintre, une longue robe de bure à large capuche.

Elle tendait la main pour prendre le vêtement quand elle entendit des sons diffus qui s'échappaient d'une grille d'aération au centre de la pièce. Elle s'approcha et écouta. Quelque part sous ses pieds, des voix résonnaient.

43

— Qui est cette Alba? demanda Rochat.

— J'allais poser la même question, dit Ansermet.

Balla et Keller se regardèrent, comme pour déterminer lequel allait y répondre. Le banquier prit la parole
le premier.

— Je ne l'ai rencontrée qu'une seule fois.

— Ça reste à démontrer, maugréa l'Albanais.

— Une seule fois, insista Keller. C'est une prostituée
qui travaillait pour lui.

— Moi, je n'ai jamais fréquenté de prostituée, intervint Rochat.

— Moi non plus, confirma le juge.

— Ce n'était pas une vraie pute, commenta le proxénète. Elle travaillait pour les flics et elle m'a piégé.

Le blond se tourna vers Ansermet.

— Si c'est une flic, vous devez la connaître, non?

Le magistrat sourit.

— Ce n'est pas parce que je suis juge que je connais
tous les policiers du pays. Et je n'en connais aucune qui
s'appelle Alba.

— Moi non plus, je ne connais aucune fille du nom
d'Alba, glapit Rochat.

La nervosité qui gagnait les rangs agaça Balla, au

moins autant que ce prénom qu'ils répétaient tous les uns après les autres. Comme pour les faire taire, il cracha par terre et s'adressa à eux comme un chef de meute.

— Mais vous êtes cons ou quoi? Alba n'est pas son vrai nom. Cette pute était soit une agente infiltrée soit une informatrice de la police. Ça fait des mois que je cherche à connaître sa véritable identité, sans succès. Le secret est trop bien gardé. Un vrai fantôme.

Les dernières phrases de l'Albanais jetèrent un froid. Après quelques secondes, Keller reprit:

— On a bien compris que cette fille vous a piégé. Mais pourquoi chercher à connaître sa véritable identité?

La question avait aussi traversé l'esprit du juge et de Rochat. Tous attendaient une explication, en dévisageant le géant.

— Parce que personne ne peut me trahir sans conséquences, répondit Balla. Encore moins une femme. Si je la retrouve…

— Si vous la retrouvez, quoi? Vous la buteriez? demanda Rochat.

L'Albanais eut un rictus.

— Pas tout de suite. D'abord, je discuterai avec elle. Je prendrai tout mon temps. Tout le temps qu'elle m'a volé. Et puis…

— Et puis?

— Je lui ouvrirai le ventre, comme je pourrais le faire avec toi si tu continues de me poser des questions débiles.

Balla fit un pas dans la direction de Rochat. Le blond recula, effrayé. Keller intervint:

— En résumé, si nous avons bien compris vos

propos, vous aimeriez la faire souffrir avant de la tuer. Vous êtes donc le seul parmi nous à avoir un sérieux mobile pour éliminer des personnes de sa famille.

Le proxénète se retourna vers le banquier et avant qu'il ait seulement le temps de réagir, il lui envoya un violent coup de poing au visage. Le choc fit tomber Keller sur la dalle de pierre.

— Pauvre crétin! vociférait Balla. J'étais en taule jusqu'à ce matin.

— Des complices, ça existe, persista Keller au sol, en essuyant le sang qui s'écoulait de sa lèvre fendue.

L'Albanais fit un nouveau pas menaçant dans sa direction. Le juge le retint par un bras.

— Arrêtez! cria Ansermet sur un ton autoritaire. Ce n'est pas en nous entretuant que nous trouverons le moyen de sortir d'ici.

44

Jemsen rejoignit Garcia au BAP dans l'après-midi. Le procureur retrouva le commissaire à la cafétéria. Les deux hommes paraissaient exténués, ils n'avaient pas dormi depuis plus de trente-six heures.

— Une bière ? proposa Garcia.

— C'est pas de refus, si la perm vous l'autorise.

— Au diable le règlement.

Ils tapèrent les goulots l'un contre l'autre et burent à la bouteille.

— Des nouvelles de Tanja ? demanda Jemsen.

— Aucune. Et vous de Flavie ?

— Elle m'a appelé. Son mari n'est pas rentré la nuit dernière et elle est inquiète.

— J'avais cru comprendre qu'ils ne formaient plus un vrai couple.

— Ça n'empêche pas d'avoir de l'inquiétude pour son colocataire.

— Il a dû se trouver une jeunette au Lacus Café. C'est le rendez-vous des banquiers et elles sont légion à vouloir mettre la main sur un homme fortuné.

— Je doute que les Keller soient riches et ce n'est apparemment pas dans les habitudes d'Alain.

Le procureur se surprit lui-même à avoir appelé le

mari de sa greffière par son prénom. Il ne le connaissait pas. Il ne l'avait jamais vu. Flavie lui avait rarement parlé de lui, ou peut-être cette fois où elle lui avait dit que son mari les soupçonnait d'avoir une liaison. La vérité échappait à Alain Keller. Flavie ne lui avait jamais parlé de Tanja. Et Garcia n'était pas non plus au courant de l'histoire d'amour entre les deux femmes.

— Si elle perd son mari après avoir perdu sa fille, va-t-elle se relever ? demanda Garcia.

Ce qui m'inquiète le plus, pensa le procureur, *c'est si, après sa fille et son mari, Flavie perd Tanja.* Il sentait que les épreuves traversées par les deux femmes les éloignaient plutôt qu'elles ne les rapprochaient.

Comme s'il avait lu dans ses pensées, Garcia enfonça le clou.

— À propos, c'était bien le sang du fils de Tanja sur le voilier à Morges.

— Merde…

— Comme vous dites.

Les deux hommes terminèrent leurs bières en silence.

— On peut faire quelque chose pour Tanja ? demanda Jemsen.

— Encore faudrait-il savoir où elle est. Et même si nous le savions, à part prendre les infos que les Vaudois voudraient bien nous donner, je vois mal ce que nous pourrions faire.

Garcia se leva et se dirigea vers le distributeur de boissons. Le procureur accepta une seconde tournée.

— Et la perm ? demanda Jemsen.

— C'est plus calme qu'hier.

— Des nouvelles de Berti Balla ?

— Aucune. Volatilisé.

146

— Comme Tanja et Alain Keller. Décidément, la mode est à la disparition.

— Vous ne croyez pas si bien dire. La gendarmerie en a une nouvelle sur les bras.

— Qui ?

— Serge Rochat. Le type qui avait renversé la petite Mathilda Keller il y a trois ans.

Jemsen ouvrit de grands yeux.

— Et ce n'est que maintenant que vous le dites ?

Garcia le regarda, étonné.

— Ben oui, je…

Le chef des stups comprit soudain la situation.

— Bordel, je ne réalise que maintenant. Quel con !

— À votre décharge, nuança le procureur, je viens de vous apprendre la disparition de Keller. Mais reconnaissez tout de même que ça fait une drôle de coïncidence.

— D'autant plus que ce n'est pas tout…, murmura Garcia.

45

— C'est inutile, dit Ansermet. J'ai déjà essayé.

Les trois autres ne l'écoutèrent pas. Ils montèrent sur la galerie par l'escalier de bois, passèrent à côté du moulin et gagnèrent l'accès principal. Le juge les attendit sur la dalle de pierre. Cinq minutes plus tard, Balla, Rochat et Keller redescendirent bredouilles.

— Vous aviez raison, confirma le banquier. Une véritable forteresse.

— Il doit bien y avoir une autre issue, dit l'Albanais.

— La rivière, suggéra le blond, elle doit ressortir quelque part. Ce gars n'a-t-il pas parlé d'une sortie du côté des Brenets ou de la France, tout à l'heure ?

Ansermet n'était pas emballé par cette idée.

— Si ça se trouve, l'eau doit se faufiler dans la roche par des failles trop étroites pour un corps humain. Et même s'il y a une issue, vous avez vu ce labyrinthe ? Il y a des grottes et des puits partout. Ça doit représenter des kilomètres de galeries souterraines. Nous avons déjà perdu pas mal de temps. Nous n'avions qu'une heure. Il doit nous rester… Quarante-cinq minutes à peine. Le temps d'atteindre une éventuelle sortie et nous finirons noyés.

— Pour autant que les calculs du type soient justes, commenta Rochat.

— Tu veux attendre ici pour vérifier ? grogna Balla. Libre à toi. Mais si nous restons ici, nous finirons aussi noyés.

Les quatre hommes se regardèrent. Ils avaient tous fait le même calcul. Ils n'avaient pas le choix. Ils devaient essayer. L'un après l'autre, ils descendirent l'escalier métallique qui menait à la grande roue hydraulique. Le débit d'eau qui la faisait tourner était plus faible que tout à l'heure. Peut-être le calme avant la tempête. La canalisation naturelle devait se boucher de plus en plus. La pression augmentait.

Sans s'attarder sur ce premier palier, ils dévalèrent la seconde partie de l'escalier et gagnèrent la grotte où Rochat s'était réveillé en face de Balla. Ils quittèrent la zone éclairée d'ampoules pour s'enfoncer dans les entrailles de la terre. Le juge sortit un téléphone de la poche de son pantalon et alluma l'application « lampe de poche ». L'Albanais le stoppa.

— Putain, c'est maintenant que tu nous dis que tu as un portable ?

Ansermet lui sourit avec agacement.

— Vous pensez bien que j'ai essayé. C'est comme pour les portes, inutile. Il n'y a du réseau nulle part. Sans cela le type me l'aurait confisqué.

Ils avancèrent une trentaine de mètres dans l'inconnu. Le sol de la grotte devenait de plus en plus limoneux. Devant eux, les parois rocheuses se rejoignaient. La moindre faille était bouchée par le sable jaune. C'était une impasse.

Rochat craqua.

— Mais bordel ! je ne sais pas ce que je fais ici. Je n'ai rien à voir avec cette Alba. Que celui qui a tué sa mère et son fils se dénonce !

— Calme-toi, lui dit Ansermet. Ça ne sert à rien de paniquer. Je suis dans le même cas que toi. Dans l'ignorance la plus totale. Depuis tout à l'heure, je cherche encore et encore dans mes souvenirs, mais je ne trouve rien. Peut-être connaissons-nous cette Alba sans savoir qui elle est ? Peut-être lui avons-nous fait du mal de manière indirecte, nous aussi ?

Rochat se mit à pleurer de rage.

— Mais moi, je n'ai fait de mal à personne. Sauf à cet homme et à sa femme. C'est tout !

— C'est tout ? s'énerva le banquier. Tu as tué ma gosse et… c'est tout ? Tu es un assassin, comme lui.

Il pointa Balla du doigt. Le proxénète ne réagit pas. L'altercation entre Keller et Rochat l'amusait.

— Je ne suis pas un assassin, criait le blond. Vous connaissez le jugement, comme moi. C'était un accident.

— Parce que vous étiez bourré et shooté au cannabis !

— Une erreur de jeunesse. Mais ça, vous ne l'avez jamais compris. Et votre épouse non plus d'ailleurs. Si ça se trouve, c'est elle qui nous a amenés ici. Pour se venger de moi !

Keller sortit de ses gonds. Il poussa violemment Rochat, le fit tomber et lui sauta dessus. Au corps à corps, les deux hommes roulèrent dans le limon. Le banquier se retrouva assis à cheval sur son adversaire et saisit une grosse pierre. Il leva son arme au-dessus de la tête du blond. Dans les yeux de Keller, Rochat vit la mort.

46

La présidente du tribunal soupira.

— Vous niez donc toute implication dans les événements du col des Roches ?

— Je suis une victime, comme les autres.

La réponse de Tanja provoqua un silence dans la salle d'audience. On n'entendait plus que le cliquetis du clavier du greffier et le bruissement du stylo d'un journaliste, assis au premier rang du public, qui griffonnait des notes.

La présidente posa une dernière série de questions.

— Vous n'avez jamais expliqué ce qui s'est passé entre le moment où vous avez découvert la robe du *Vénitien* – ou plutôt de son sosie – et le moment où vous êtes sortie des moulins. Pourriez-vous en donner la raison à la Cour ?

Tanja baissa la tête et fixa le plancher devant elle.

— En accord avec mon avocat, je préfère ne pas répondre à cette question.

— Vous avez le droit de vous taire, mais j'ai le devoir de vous rappeler que votre silence pourrait se retourner contre vous.

— J'en prends le risque.

— Très bien, constata la juge, agacée. Je conclurai

donc cet interrogatoire par cette déclaration que vous avez faite au procureur Jemsen au cours de l'instruction. Je cite : «Une mère est prête à tout pour son enfant.» Était-ce votre état d'esprit ?

— Madame la présidente, je pense que vous sortez cette phrase de son contexte. Ce n'était qu'une généralité.

— Une généralité en laquelle vous croyez manifestement. Une mère qui perd un enfant n'est-elle pas hantée par le désir de venger la chair de sa chair ?

— Je n'ai pas vengé ma mère et mon fils. Je le jure.

La présidente regarda Tanja avec un sourire un peu triste, comme si la magistrate regrettait que la prévenue n'ait pas su saisir la perche qu'elle venait de lui tendre pour son salut.

La présidente se tourna vers ses assesseurs et leur demanda s'ils avaient des questions à poser à la prévenue. Puis elle s'adressa à Norbert Jemsen.

— Monsieur le procureur ?

— Aucune question.

— Maître Studer ?

— Non plus.

— Très bien. Dans ce cas, le greffier va imprimer le procès-verbal et vous l'apporter. Nous allons faire une nouvelle suspension d'audience, durant laquelle vous pourrez le relire avec votre cliente, avant qu'elle ne le signe. Ensuite, nous passerons à l'audition des témoins.

47

Ansermet agrippa fermement le poignet de Keller et l'empêcha de frapper Rochat avec la pierre.

— Lâchez-moi ! cria le banquier. Je vais buter cet enculé ! Ce n'est pas à l'eau de le faire, c'est à moi !

— Si vous le tuez, lui dit le juge calmement, vous donnez raison à notre ravisseur.

Keller résistait. Il tenait encore la pierre, son bras tendu au-dessus de la tête de Rochat.

Couché sur le dos, recouvert de limon, le blond avait porté ses mains devant son visage pour tenter de se protéger du coup. Il pleurait et suppliait.

— Pitié… ma femme attend un enfant…

— Nous avons tous au moins un membre de famille qui nous attend, tempéra le juge. J'ai aussi des enfants. Et mon amie doit s'inquiéter depuis hier soir.

— Moi aussi j'avais une famille, gémit Keller.

Il fondit en larmes et lâcha la pierre. Recouvert de boue jaunâtre, il se releva et désigna Balla.

— Lui, il n'a pas de famille…

L'Albanais fit un pas vers le banquier, le poing levé. Ansermet s'interposa.

— Petite merde ! vociféra Balla. Qu'est-ce que tu sais de moi ?

— Que vous êtes un criminel, osa Keller.

— Et un criminel ne peut pas avoir de famille selon toi ? En Albanie, j'ai une femme, deux ex-femmes et sept enfants.

— Alors, qu'est-ce que vous faites en Suisse ?

— Je suis venu chercher l'argent là où il se trouve. Dans ton pays.

— Un rééquilibrage des richesses mondiales par le crime, ironisa le banquier.

— Ça suffit, Keller ! intervint Ansermet. Nous devons trouver un moyen de sortir d'ici !

À la surprise générale, le banquier éclata d'un rire désespéré. Il pointa le juge de son index et lui dit :

— Vous qui semblez si parfait, qui conservez votre calme en toutes circonstances, même à l'aube de votre mort, et si vous nous dévoiliez votre côté obscur ?

— Je ne pense pas que le moment soit bien choisi pour confesser mes défauts.

— Ah, parce que vous en avez ? Oui, c'est vrai ! Vous avez mentionné une petite amie. C'est parce que vous êtes divorcé ? Qu'est-ce que votre ex-femme vous reprochait ?

— Vous feriez mieux de vous soucier de la vôtre, répondit Ansermet en montant le ton.

— Vous ne savez rien de la mienne.

— Sauf que vous l'avez trompée avec une prostituée.

— Avec une flic, corrigea Balla.

— On s'en fout ! aboya le juge.

— Non, on ne s'en fout pas, intervint Rochat encore en larmes. C'est à cause de cette Alba si nous sommes ici.

— Et c'est à cause de toi si j'ai fini aux putes ! hurla

Keller. Tu as détruit ma vie et celle de ma femme. Et le juge qui t'a condamné de manière si clémente nous a achevés.

Ansermet avait retrouvé son calme. Il soupira.

— Parce que dans les accidents mortels on punit la faute et non le résultat. Une notion que je n'ai moi-même jamais réussi à expliquer aux familles des victimes.

Le banquier redevint cynique.

— Vous pourrez l'expliquer à ma fille, quand vous la verrez là-haut.

Il regarda sa montre et ajouta :

— Il nous reste quinze minutes.

48

Jemsen posa sa bouteille de bière et lut la fiche CODIS que Garcia lui tendait.

— Qu'est-ce que ça veut dire? demanda le procureur.

— La police vaudoise a analysé le sang qui se trouvait sur le pont du voilier à Morges. L'ADN de l'enfant présente des allèles connexes à ceux de Tanja et de Frédéric Ansermet.

— Qui est-ce?

— Un juge lausannois.

— D'accord, un juge lausannois est donc le père de Loran Stojkaj. Mais je ne vois pas ce que cette information a d'important.

— Les Vaudois ont inséré l'ADN d'Ansermet dans la base de données fédérale, parce qu'il a disparu lui aussi depuis hier soir.

Jemsen accusa le coup. Les multiples informations engrangées durant ce service de permanence s'entremêlaient dans son esprit. Il reprit une gorgée de bière.

— Les Vaudois ont une piste? demanda-t-il.

— Aucune. L'enquête piétine. Ils ont fait le lien avec la mort de l'enfant et ils viennent de signaler Tanja sous mandat de recherches dans le système Ripol.

Apparemment, ils la suspectent de l'enlèvement d'Ansermet. Et curieusement, nous avons maintenant deux affaires qui présentent des similitudes étonnantes. D'un côté, la mort de Loran Stojkaj et de sa grand-mère, Tanja qui reste injoignable, le père de son fils qui disparaît et un meurtrier présumé dans la nature…

— Berti Balla? Nous n'avons aucune preuve.

— Non. Mais tout au long de l'instruction et encore le jour de son procès, Balla a promis devant mes collègues qu'il retrouverait Tanja pour se venger.

— Et l'autre affaire?

— La mort plus ancienne de la petite Mathilda Keller, Flavie qui ne vient pas à son travail, le père et l'auteur de l'accident qui disparaissent. Ça commence à faire beaucoup de coïncidences pour deux affaires qui n'ont apparemment aucun lien l'une avec l'autre.

Jemsen soupira. Les circonstances ne lui laissaient pas le choix. Il connaissait le secret des deux femmes. Il devait le trahir. Il but une nouvelle gorgée de bière, puis lâcha:

— Il y a un lien.

— Lequel?

— Flavie et Tanja sont amantes.

Rochat se releva et vacilla. Il se tenait à peine droit, comme un pantin de boue désarticulé et s'appuya contre la paroi rocheuse. Les larmes diluaient le limon qui recouvrait ses joues.

— Quinze minutes…, gémit-il. C'est assez pour que le coupable se dénonce et que nous remontions vers la sortie.

Balla le regarda, puis regarda Keller. Ces deux-là n'étaient que des guignols à ses yeux. Sentant la fin arriver, ils avaient perdu tous leurs moyens. Il en conclut que le coupable n'était pas parmi eux et se tourna vers Ansermet.

— Puisque l'heure est aux aveux, petit juge, je vais t'en faire un. Et tu pourras ensuite te vanter d'être le seul juge auquel Berti Balla aura confessé un crime.

Le magistrat demeura impassible. Rochat et Keller fixèrent le proxénète avec une lueur d'espoir dans les yeux.

— Il y a quelques jours, un très bon ami à moi m'a fait passer un message en cellule, poursuivit l'Albanais. Il avait enfin retrouvé la trace d'Alba, sans réussir à identifier son vrai nom. Mais ce qu'il a découvert valait de l'or. Cette petite pute avait de la famille à Lausanne. Une vieille femme et un enfant en bas âge.

— Vous avez donné l'ordre de les éliminer ? demanda Ansermet.

— Jamais je n'aurais fait ça, répondit Balla.

— C'est pourtant ce que vous vouliez, non ?

— Ce que je voulais ? L'Albanais éclata d'un rire sonore. Ce que je voulais, c'était tenir moi-même le couteau, et obliger cette petite pute à regarder ma lame égorger sa mère et son fils.

— Jamais d'enfant avez-vous dit, rappela le juge.

— Pour Alba, j'aurais fait une exception.

— Qu'est-ce qui s'est passé ? demanda Ansermet, glacé par la froideur et la détermination du proxénète. Votre très bon ami vous a désobéi ?

— Jamais il n'aurait osé.

— Un autre de vos hommes, alors ?

— Non plus.

— Je ne comprends pas, s'étonna Ansermet. Je croyais que l'heure était aux aveux.

— Ce sont mes aveux, petit juge. Comment tu appelles ça dans ton jargon ? Une intention, un début de tentative, des actes préparatoires, un délit manqué ? Je n'ai pas eu le temps de mettre ma vengeance à exécution. Quelqu'un m'a devancé.

— Mais qui, alors ?

— Ça, je ne sais pas. Mais si je tenais ce fils de pute…

— Vous l'éventreriez, sourit Ansermet.

Balla s'énerva.

— Qu'est-ce qui te fait rire, petit juge ? Depuis le début, je te trouve bien trop calme, trop bienveillant avec nous. Tu sais que tu vas mourir et pourtant, tu ne montres aucun signe de peur, pas la moindre faiblesse.

— Vous non plus, fit remarquer Ansermet.

— Moi, c'est différent, répondit l'Albanais. Je vis avec la mort depuis que je suis né. La mort est une bonne amie. Je n'ai pas peur d'elle. Je suis préparé de longue date à mourir. J'ai toujours su que la Grande Faucheuse ne viendrait pas me cueillir dans mon lit. Mais toi ?

Le magistrat haussa les épaules.

— Moi non plus, je n'ai pas grand-chose à perdre. Hormis mon amie que j'aime et qui m'aime. Mon ex-femme me fait la guerre, mes enfants ne me parlent plus depuis trois ans, mon boulot m'emmerde, tout me fait chier. À vrai dire, cette situation me fait presque sourire. Le seul truc que je regrette, c'est l'idée de mourir dans l'ignorance. Je compte sur saint Pierre pour m'expliquer pourquoi je me suis retrouvé dans cette grotte avec trois types que je ne connais pas.

— La réponse à cette question, intervint Keller, tient à un simple prénom : Alba.

— Je ne connais pas d'Alba, répéta Ansermet. Si seulement je savais à quoi elle ressemble.

— Je l'ai connue intimement, soupira le banquier, du limon plein les dents. Vous avez eu la bonté de souligner que j'avais trompé ma femme avec une prostituée, c'est vrai.

— C'est pas une vraie pute, ronchonna Balla. C'est une flic.

— Peut-être, reprit Keller. Et je m'en fous. Je me souviendrai toujours de cette parenthèse intime. Parfois, je revois Alba en rêve ou en pensée. Souriante et mélancolique à la fois, son corps fin, ses hanches légèrement potelées, son dos tatoué, ses cheveux châtain blond attachés en chignon hirsute au sommet de son crâne. Et son charmant accent albanais.

160

— Une façade, insista Balla. Quand elle m'a broyé les couilles de ses douces mains, elle ne l'avait plus, son accent.

Petit à petit, une image se forma dans le cerveau d'Ansermet. La description d'Alba provoqua en lui une illumination, un électrochoc. L'image de l'aspirante de Savatan, de la jeune gendarme de Morges au moment où elle avait repris contact avec lui par message après l'école de police. Après leur houleuse séparation, elle avait démissionné de la police vaudoise et quitté la région de Lausanne. Deux ans et demi qu'il ne l'avait plus revue ni su ce qu'elle était devenue.

Le juge venait enfin de comprendre ce qu'il faisait dans cette grotte: Alba Dervishaj s'appelait en réalité Tanja Stojkaj.

50

Un gendarme ouvrit la porte principale de la salle d'audience et appela le premier témoin. Frédéric Ansermet attendait dans le couloir. Il entra et remonta les rangées de bancs à moitié vides, où seuls quelques curieux assistaient au procès. Il passa devant un journaliste assis au premier rang et se présenta face au tribunal. La présidente lui indiqua une chaise vide au centre du parquet, à mi-distance entre le procureur et la prévenue.

— Veuillez prendre place, l'invita la magistrate.

Pour la seconde fois de sa vie, Ansermet se retrouvait de l'autre côté du miroir. La première avait été l'audience de son divorce. S'il était habitué à présider des audiences pénales et civiles, il n'était pas à l'aise dans le rôle de partie ou de témoin. Comparaître devant ses pairs restait une épreuve désagréable.

Il dégagea les pans de sa veste, s'assit, lissa les canons de son pantalon, resserra le nœud de sa cravate et posa les mains sur ses cuisses. Aucune table devant lui ne lui permettait de cacher son malaise. Il était livré tout entier à la vue du tribunal. Chacun de ses gestes serait étudié, interprété par les juges.

Il regarda le procureur Jemsen sur sa droite et le salua d'un petit sourire gêné. Puis il tourna la tête à gauche.

Derrière Tanja, l'avocat lisait une pièce du dossier. La prévenue l'avait ignoré jusque-là. Ses yeux étaient rivés sur le sol devant elle. Elle n'était plus que l'ombre de celle qu'il avait connue à l'époque, joviale et espiègle à l'aube de leur relation, jalouse et tempétueuse à son crépuscule. Aujourd'hui, Tanja n'était qu'une carapace vide, un gouffre de souffrance. Elle avait maigri. Sa peau était blanche comme la neige qui tombait sur Lausanne depuis le milieu de la nuit.

La présidente du tribunal s'adressa au témoin et déclina son identité.

— Vous vous appelez Frédéric Ansermet et vous habitez à Cully.

Le témoin acquiesça d'un signe de la tête. La juge précisa l'adresse exacte, vérifia sa date de naissance – il avait quarante-cinq ans – et en vint à sa profession.

— Vous êtes juge civilo-pénaliste au tribunal d'arrondissement de Lausanne.

— J'étais, répondit Ansermet. Je ne le suis plus. Après un arrêt maladie de plusieurs mois, j'ai donné ma démission. Elle a pris effet hier.

— La Cour l'ignorait. Et quelle est votre activité professionnelle aujourd'hui?

— Je suis dans l'attente d'une décision de l'assurance-invalidité.

Le greffier corrigea le procès-verbal d'audition et la présidente reprit :

— Monsieur Ansermet, vous êtes entendu aujourd'hui comme témoin devant ce tribunal. À ce titre, vous êtes tenu de répondre aux questions conformément à la vérité, étant rappelé que le faux témoignage est sévèrement puni par la loi.

Ansermet sourit. Il avait tant de fois servi ces formules toutes faites aux témoins qui se présentaient devant lui. Il connaissait la suite.

— Dans certaines situations, vous pouvez faire usage de votre droit de refuser de témoigner. En particulier si vous avez un lien de parenté ou d'alliance avec la prévenue. C'est aussi le cas si vos déclarations sont susceptibles d'engager votre propre responsabilité pénale ou civile. J'imagine, au vu de votre carrière, que je n'ai pas besoin de vous lire les autres dispositions du code de procédure relatives aux droits de refuser de témoigner. Ou le souhaitez-vous ?

— Merci, madame la présidente, je connais mes droits.

— Parfait, dans ce cas, nous pouvons aller de l'avant. Acceptez-vous de répondre aux questions du tribunal ?

Ansermet regarda une nouvelle fois Jemsen, puis Tanja et enfin la juge. Il racla discrètement sa gorge et répondit :

— Je refuse de témoigner.

Le passé d'Ansermet lui revint comme un boome-
rang. Balla, Rochat et Keller le regardaient comme s'ils
attendaient qu'il se réveille. Le juge fixait le néant. Son
esprit n'était plus avec eux.

Vous souvenez-vous de moi?

Premier message que Tanja lui avait envoyé après
l'école de police. Oui bien sûr, aujourd'hui il se souvenait d'elle. Du meilleur comme du pire. À vrai dire,
l'écoulement du temps avait effacé le meilleur de sa
mémoire pour lui laisser le pire, la haïr, d'abord, puis
l'effacer petit à petit de son esprit et se reconstruire.

Mais là, Frédéric Ansermet se rappelait le meilleur.
Les débuts euphoriques, les échanges de messages, le
rendez-vous secret à Yvoire, le passage au tutoiement
après le premier baiser, le léger malaise quand Tanja lui
avait avoué qu'elle vivait en couple avec une femme et
qu'elle n'avait plus connu d'homme depuis cinq ans. Le
voyage à Paris, aussi, où Tanja l'avait accompagné sur
un coup de tête. Il avait abandonné le congrès de droit
civil auquel il était invité, pour sillonner les rues de la
Ville lumière avec elle. Ils s'étaient embrassés comme
deux adolescents sur le Pont-Neuf.

Lorsqu'ils étaient rentrés, Tanja avait quitté sa

compagne. Frédéric l'avait remplacée dans le lit encore chaud du petit appartement de Rolle, que Tanja surnommait son *donjon*. Ils avaient ri aux larmes quand Frédéric avait revêtu un pull de la gendarmerie qui traînait sur une chaise. Trop étroit, le vêtement avait moulé son torse comme la tenue d'un super-héros, les muscles en moins.

Toujours avec l'insouciance d'adolescents, ils étaient partis trois jours en Sardaigne, sans organisation précise, juste pour se laisser porter par la vague, surfer sur le désir en toute liberté. Mais un mal sournois les guettait, comme un spectre invisible qui n'attendait que le bon moment pour frapper. Un mal dont Frédéric était seul maître et que Tanja ne pouvait pas comprendre. Celui de la mauvaise conscience, du sentiment d'abandon, de la trahison. Frédéric avait délaissé sa femme et ses enfants pour une autre. Le virus avait germé au fil des mois, gangrené l'esprit du juge, torturé son âme jusqu'à ce que la maladie se déclare ouvertement lors de vacances en Crète. Ce qui aurait dû être une nouvelle escapade idyllique s'était transformé en un séjour cauchemardesque. À leur retour, ils s'étaient quittés dans les larmes, les cris et la douleur.

Tanja avait aussi découvert via les réseaux sociaux que Frédéric était allé boire un café avec une collègue, juste avant leur départ pour la Crète. Frédéric avait omis de le lui dire. À ses yeux, ce n'était qu'un détail. C'est qu'elle était jalouse, aussi. Le détail n'aurait dû être qu'un pétard mouillé et s'était transformé en bombe. Dans l'esprit de Tanja, Frédéric l'avait trompée. Elle s'était forgé sa vérité et n'avait rien voulu savoir.

De ce jour, il ne l'avait plus revue.

Il était devenu un zombie. Il avait essayé de revoir Tanja pour lui expliquer. Mais lui expliquer quoi ? Elle s'était enfermée dans ses certitudes. Un soir, il avait sonné anonymement chez elle et la porte du *donjon* s'était ouverte pour la dernière fois. Comme une furie, elle l'avait saisi par le col, injurié et lâché cette phrase qui résonnait encore dans son esprit : « Fous le camp d'ici ou j'appelle mes collègues ! »

Ansermet pensait avoir définitivement tourné la page de cette histoire, mais Keller et Balla venaient de réveiller des souvenirs enfouis. L'Albanais s'en rendit compte.

— Alors, petit juge, la mémoire t'est revenue ? Tu la connais, cette petite pute ?

Ansermet ne répondit pas. Il était perdu dans ses pensées. Les pièces du puzzle commençaient à se remettre en place. Un fait divers qui avait fait la Une du *Matin dimanche*, une vieille femme assassinée dans un appartement de la rue Neuve. Ansermet ne connaissait pas la mère de Tanja. Elle évitait d'en parler à l'époque. Mais ce n'était pas ce qui le préoccupait le plus. Les médias avaient mentionné l'enlèvement d'un enfant de deux ans. Tanja avait un enfant. Leur rupture remontait à deux ans et demi. Tanja était enceinte quand ils s'étaient quittés.

52

On était au mois de mars 2016. Le printemps était en avance. Dans le long jardin étroit qui descend jusqu'à la rive du lac, les arbres et les plates-bandes étaient déjà en fleurs. Les *premiers* voiliers étaient sortis. C'était à Rolle, au pied des vignobles de La Côte, à une trentaine de kilomètres à l'ouest de Lausanne, dans le district de Nyon. Tanja habitait un appartement sous les toits d'un vieil immeuble, à proximité du château XIIIe.

Frédéric fumait une cigarette sur le balcon du salon, en regardant la neige qui recouvrait encore les sommets des Alpes savoyardes de l'autre côté du Léman. Il avait écrasé son mégot dans un cendrier posé entre deux cactus desséchés par le froid. Toutes les plantes de la terrasse étaient mortes. Tanja n'avait jamais eu la main verte.

Frédéric s'était retourné. Derrière la baie vitrée, assise sur le canapé, la meilleure amie de Tanja pianotait sur son téléphone. Comment s'appelait-elle déjà ? Quelle importance. Ils attendaient que Tanja sorte de la salle de bains. Elle s'était enfermée depuis longtemps. À la fin, elle les avait rejoints avec un petit sourire crispé.

— Alors ? avait demandé l'amie de Tanja en désignant le petit tube qu'elle tenait à la main.

— C'est négatif, avait dit Tanja.

Ils avaient poussé tous les deux un bruyant soupir de soulagement, Tanja avait éclaté de rire. Elle avait serré sa meilleure amie dans ses bras.

— Je ne te remercierai jamais assez. Jamais je n'aurais osé aller à la pharmacie de garde un dimanche. La pharmacienne me connaît, c'est une vraie pipelette. Et j'étais tellement stressée que je ne pouvais pas attendre demain.

— Ça vous apprendra à vous protéger, rigola la meilleure amie. Alors, on trinque ?

Ils débouchèrent une bonne bouteille, une syrah du domaine Les Envies d'Ève au nom évocateur, « Désobéir ».

53

Je refuse de témoigner. Les mots du «gros con» résonnaient dans l'esprit de Tanja. En hésitant, elle releva la tête et se tourna vers Ansermet assis sur sa droite. Il pouvait prendre sa revanche, il lui suffisait de donner sa version. Me Studer avait préparé durant des heures son contre-interrogatoire. Et Ansermet refusait de répondre aux questions du tribunal. De quoi avait-il peur? D'un mensonge de plus?

— Pour quel motif? demanda la présidente.

— Lien d'alliance avec la prévenue, répondit le témoin.

— Mais à la connaissance de ce tribunal, vous n'avez jamais vécu maritalement avec la prévenue, n'est-ce pas?

— C'est vrai.

Après sa séparation d'avec sa femme, Ansermet avait trouvé un appartement à Lausanne. Il ne s'était jamais installé à Rolle.

— Mais nous avons eu un enfant ensemble, reprit Ansermet. L'assassinat de Loran ne me prive pas de mon droit de refuser de témoigner.

— Je l'admets, soupira la magistrate. Néanmoins, vu la gravité des faits, le tribunal aurait pu attendre d'un magistrat judiciaire…

— D'un ex-magistrat, corrigea Ansermet. Et même si j'étais encore juge, je conserverais les mêmes droits que n'importe quel autre justiciable.

— Vous avez parfaitement raison. Mais peut-être auriez-vous fait gagner du temps à tout le monde si vous nous aviez écrit dans ce sens en recevant le mandat de comparution.

La présidente paraissait contrariée.

— Vous connaissez la loi comme moi, se défendit Ansermet. Le droit de refuser de témoigner n'inclut pas celui de refuser de comparaître.

— Pourtant, tout au long de l'instruction, vous avez produit des certificats médicaux devant la police et le ministère public. Selon votre médecin, votre état de santé ne vous permettait pas de témoigner. Il aurait suffi…

Ansermet l'interrompit.

— Madame la présidente, mon médecin est un excellent médecin. Je vais mieux aujourd'hui et il a toujours refusé d'établir des certificats de complaisance.

— Bien, admit la juge. Le tribunal comprend votre refus de témoigner au sujet de la prévenue. Mais n'accepteriez-vous pas de nous raconter ce que vous avez vécu sous terre en compagnie de MM. Balla, Rochat et Keller ?

— Non, je regrette.

— Sans parler de la prévenue, cela va de soi.

Ansermet sourit.

— Même sans parler de la prévenue, madame la présidente. Outre mon droit fondé sur un lien d'alliance, j'ai aussi celui de ne pas m'incriminer.

— De ne pas vous incriminer ? s'étonna la magistrate. Mais de quoi ?

— Je respecte votre autorité, je vous demande de respecter mon silence.

Déstabilisée, la présidente se tourna vers ses assesseurs. Ils lui firent un signe qui voulait dire d'en rester là.

— Très bien, conclut-elle. Dans ce cas, vous pouvez vous approcher du greffier, qui va vous indemniser pour votre déplacement.

Ansermet se leva, remercia les membres du tribunal, indiqua enfin qu'il renonçait à être indemnisé. Il salua le procureur Jemsen d'un simple hochement de tête, ignora la prévenue et son avocat, et quitta la salle d'audience. En entendant les pas du « gros con » s'éloigner, Tanja plongea son visage dans ses mains et se mit à pleurer.

54

— Je t'ai posé une question, petit juge, s'énerva Berti Balla.

— Vous connaissez Alba ? insista Keller.

— Il faut nous le dire, le pressa Rochat. Maintenant !

Ansermet les entendait sans les écouter. Il regardait son bras dénudé. Tanja lui avait-elle menti au sujet du test de grossesse ? Avait-elle aussi caché le résultat à sa meilleure amie ? Tanja ne leur avait pas montré l'écran de l'appareil ce jour-là, dans son appartement de Rolle. Combien de barres avait-il affichées ? Une seule ? Deux ? Ils s'étaient contentés de la parole de Tanja, puis ils avaient fêté leur soulagement et la vie avait repris son cours.

Aujourd'hui, toutes ses certitudes étaient chamboulées. Pourquoi cette trace de piqûre sur son bras ? Qu'est-ce que cet étrange moine encapuchonné et masqué lui avait fait ? Une prise de sang pour un test de paternité ? Ça n'avait pas de sens. N'importe quel test de paternité se faisait sur Internet. Il suffisait d'un peu de salive. «Prélèvement d'écouvillons buccaux du père présumé», il lui était arrivé d'en ordonner comme juge civil pour des procédures en reconnaissance ou en désaveu de paternité.

— Hé! cria soudain Keller comme pour faire sortir Ansermet de son état léthargique. Il ne nous reste que quelques minutes !

Balla saisit le magistrat par les bras et le secoua violemment.

— Tu vas répondre, petit juge ? Ou il faut que je défonce ta sale gueule ?

Ansermet balbutia. Il n'eut pas le temps de remettre de l'ordre dans ses idées. Un bruit sourd résonna dans la grotte. La montagne gronda, les parois rocheuses et le sol limoneux se mirent à frémir, doucement d'abord, puis de plus en plus fort. De la poussière commençait à se détacher des murs et du plafond. Puis il y eut un gros craquement, suivi du vacarme de l'eau enfin libérée et d'impacts de pierres projetées sous la pression. La grotte tout entière se mit à trembler.

55

Le commissaire Garcia reposa sa bière. Le procureur venait de lui fournir le lien manquant entre les disparitions. Le chef des stups resta un moment silencieux. Il savait que l'inspectrice fédérale n'était pas spécialement attirée par les hommes, mais il ne l'aurait jamais imaginé de la greffière de Jemsen. La relation intime de Tanja Stojkaj et de Flavie Keller était la clé de toute cette cathédrale de verre.

— Nous aurions dû comprendre plus vite, s'en voulut Jemsen.

— C'était impossible, s'excusa Garcia. Vous aviez des informations et j'en détenais d'autres, dont certaines très récentes. En plus, avec la permanence qui n'arrête pas de bouger dans tous les sens et les heures de sommeil en retard, comment vouliez-vous que nos cerveaux fonctionnent à plein régime ?

Comme si la providence avait voulu répondre au commissaire, les alarmes du BAP se mirent à sonner. Par réflexe, les deux hommes se bouchèrent les oreilles pour se protéger du sifflement strident. Au-dessus de la porte de la cafétéria, les trois lumières de la lampe tricolore clignotaient. Bleu pour la police, rouge pour les pompiers et vert pour l'alarme chimique.

— Eh merde ! lâcha Garcia. Ça continue.

— Qu'est-ce que c'est ? demanda Jemsen.

— Apparemment le grand jeu. Nous allons très vite le savoir, nous sommes au même étage que la CNU.

Ladite CNU, Centrale neuchâteloise d'urgence, était au bout du couloir. Le procureur suivit docilement le commissaire qui ouvrit deux portes sécurisées au moyen de son badge. À côté d'une salle réservée à la gestion des situations de crise, la CNU était, on peut le dire, un centre névralgique. Opérationnelle depuis 2017, elle réceptionnait tous les appels des numéros 112, 117 et 118 et engageait les patrouilles de police et les sapeurs-pompiers sur l'ensemble du canton. La CNU gérait aussi le système de surveillance des routes nationales, ainsi que l'alarme ORCCAN, l'Organisation cantonale en cas de catastrophe, c'est dire.

Derrière des écrans d'ordinateurs et de vidéo-surveillance, les opérateurs étaient en permanence en alerte, les téléphones sonnaient sans discontinuer. Jemsen eut la sensation de pénétrer dans une fourmilière qui venait de subir le coup de pied d'un marcheur.

— Qu'est-ce qui se passe ? demanda Garcia à un responsable.

— Une poche d'eau vient de sauter au col des Roches. On ne sait pas si c'est grave. Le risque était connu. Signalé par le géologue cantonal. On essaie de le contacter. Il avait ordonné la fermeture temporaire des moulins souterrains. Et donc, par chance, il n'y avait pas de visiteurs. Mais il y a des entreprises et des habitations à proximité. On envoie toutes les unités disponibles sur les lieux.

Comme pour confirmer l'information, des sirènes se mirent à hurler à l'extérieur du BAP. Les véhicules de la gendarmerie sortaient du garage, feux bleus, sirènes deux tons, et filaient en direction des gorges du Seyon.

Un opérateur assis derrière ses écrans retira ses écouteurs et se retourna.

— J'ai le géologue cantonal en ligne. Je lui ai exposé la situation, il n'en revient pas. Il dit que ce n'est pas normal, que tout était sous contrôle. Il ne comprend pas pourquoi la digue souterraine a lâché.

Un deuxième opérateur se tourna à son tour et s'adressa au responsable de la CNU.

— Des employés de l'entreprise horlogère Comadur, voisine des moulins, disent avoir entendu une explosion.

Le responsable s'apprêtait à poser une question, quand un troisième opérateur intervint.

— J'ai une certaine Valérie Dätwyler au téléphone. Elle appelle depuis Les Brenets et elle est dans tous ses états. Elle faisait un pique-nique avec son mari et ses enfants. Il y a eu un éboulement, deux corps sont sortis de la paroi rocheuse.

56

Balla lâcha le bras d'Ansermet. Cédant à la panique, Rochat et Keller s'étaient mis à courir en direction de l'escalier métallique. Les deux autres leur emboîtèrent le pas. Un torrent d'eau boueuse s'écoulait déjà dans l'étroite veine qui remontait de façon abrupte vers la grande roue hydraulique.

Les quatre hommes se précipitèrent sur les marches glissantes. Ils luttèrent contre les flots enragés qui ralentissaient leur progression. L'eau éclaboussait tout sur son passage, arrachant la mousse et la pierre des parois du tunnel. Les prisonniers peinaient à voir ce qui se passait au sommet de l'escalier. Un grondement continu les empêchait de s'entendre.

Ne supportant pas d'être derrière les autres, Balla attrapa la cheville de Rochat et le tira vers le bas pour tenter de le dépasser. Le blond glissa, agrippa la barrière des deux mains et donna un coup de pied pour se dégager de l'emprise de l'Albanais qui reçut la semelle en plein visage. Le choc lui éclata le nez. Son juron se perdit dans le vacarme du déluge.

Plus haut, une marche métallique se détacha de son support sous la pression de l'eau et du poids de Keller. Le banquier chuta lourdement et commença à dévaler la pente avec le courant. Son corps passa à côté de Rochat, puis de Balla. Plus bas, Ansermet le rattrapa par un bras. Au prix d'un effort surhumain, le juge parvint à le hisser jusqu'à lui.

Au bas de l'escalier, à quelques mètres en dessous d'eux, la grotte se remplissait d'eau. Le niveau montait rapidement. Des tourbillons bordés d'écume jaunâtre se formaient entre les courants et les contre-courants, menaçant de tout engloutir.

— Montez ! hurla Ansermet.

Keller ne se fit pas prier. Il reprit l'ascension des marches. Balla et Rochat avaient atteint le sommet. Quand ils se retrouvèrent tous les quatre au niveau intermédiaire de la grande roue à aubes, ils entendirent un grincement. Derrière eux, l'escalier se déforma, les marches se détachèrent les unes après les autres, faisant sauter les boulons et les écrous, les armatures se tordirent et toute la structure métallique disparut dans le gouffre.

La rotation de la roue avait accéléré, entraînée par un débit beaucoup plus élevé. L'eau qui sortait du bisse n'était pas la source principale de l'inondation. Le torrent venait de plus haut et déferlait dans la partie supérieure de l'escalier.

— Il faut continuer à monter ! hurla Ansermet.

Balla s'était appuyé contre une des poutres qui soutenait la grande roue. Son nez saignait abondamment. Il porta une main à son visage et constata que l'os était cassé. Il ne sentait pas la douleur physique, mais fulminait à l'idée d'avoir été frappé par celui qu'il considérait comme le plus faible du groupe.

Quand le blond voulut suivre le juge dans la seconde

partie de l'escalier, Balla l'attrapa par les épaules, le tira violemment en arrière et le précipita dans le gouffre. Le cri de Rochat se perdit dans le néant. Son corps tomba dans le tunnel en fort dévers, rebondit plusieurs fois contre la paroi rocheuse et disparut sous les eaux en furie.

Keller avait assisté à toute la scène. Il hurla. Ansermet l'entendit et rebroussa chemin. L'eau giclait partout autour d'eux. Le flot continu les balayait au niveau des chevilles, puis se jetait en violente cascade dans la veine par laquelle il était remonté. Le juge s'approcha du banquier et cria :

— Où est-il ?

— Il l'a poussé.

Une dizaine de mètres plus bas dans le tunnel en dévers, les eaux en furie bouillonnaient et menaçaient de tout engloutir. Le niveau s'élevait progressivement. Rochat ne pouvait pas avoir survécu à sa chute. Ansermet fusilla Balla du regard. L'Albanais souriait.

— Il est là ! cria soudain le banquier, en désignant une tête et des bras ballottés dans l'écume.

57

— Vous pouvez faire entrer le témoin suivant. Le gendarme qui gardait la porte principale se pencha dans le couloir et appela le second témoin, mais personne ne répondit. Flavie Keller en profita pour entrer discrètement dans la salle et s'installa au dernier rang réservé au public, devant le poêle en faïence. L'arrivée de la greffière n'échappa pas au procureur Jemsen. Il lui avait pourtant interdit de venir au procès. Elle lui avait désobéi. Il s'abstint néanmoins de toute intervention et décida qu'il tancerait Flavie plus tard, en privé.

— Le témoin n'est pas là, annonça le gendarme.

— Il a peut-être été retardé par la neige, suggéra la présidente.

Par réflexe, le greffier consulta sa boîte mail. Le témoin avait peut-être appelé le secrétariat du tribunal pour annoncer son retard.

— Il arrive, annonça-t-il avec un petit sourire en coin. Il s'est présenté à la mauvaise adresse.

La présidente lui sourit en retour. C'était classique. La cour criminelle tenait ses audiences à l'hôtel de ville et non au 10 de l'avenue Léopold-Robert, siège principal du tribunal. Il arrivait souvent aux justiciables de ne pas lire les mandats de comparution jusqu'au bout.

— Nous allons attendre deux minutes, décida la présidente.

Une nouvelle suspension d'audience était inutile. Les deux bâtiments étaient relativement proches l'un de l'autre.

Depuis son banc, Flavie ne devinait que les épaules voûtées de Tanja et son chignon posé de guingois au sommet de son crâne. Elle ne l'avait pas revue depuis sa dernière visite à la prison de Lonay en présence d'un gardien chargé de censurer la conversation. Elles n'avaient échangé que des banalités derrière une vitre. Aucun contact physique, avait décidé la présidente du tribunal, un régime plus strict que celui des autres détenues. Tanja payait le prix de sa non-collaboration. Personne ne voulait croire à son innocence.

Le témoin entra alors dans la salle d'audience. La vue de Serge Rochat bouleversa Flavie. Le meurtrier de Mathilda passa à quelques mètres d'elle. Elle entendit sa respiration essoufflée, devina son odeur.

La juge invita le témoin à prendre place en face d'elle et lui rappela ses droits. Après avoir entendu les formules d'usage, il accepta de témoigner et jura de dire la vérité, toute la vérité.

Rochat raconta en détail ce qu'il avait déjà déclaré à la police et au procureur lors de l'instruction : la commande par téléphone, la livraison aux moulins, son réveil dans la grotte, ses premiers contacts avec Berti Balla, Alain Keller et Frédéric Ansermet, l'apparition de la créature fantomatique.

— Selon vous, ce moine portant un masque vénitien pourrait-il être l'accusée ?

Rochat tourna la tête et dévisagea Tanja. Il la regarda de la tête aux pieds. La femme assise à côté de lui était maigre et paraissait très fragile. Il essaya de l'imaginer en robe de bure, sous une capuche, avec un respirateur métallique et un masque.

— Impossible de le savoir, finit-il par répondre. Je serais incapable de vous dire si ce déguisement cachait un homme ou une femme. Le personnage était en surplomb et le masque respiratoire déformait sa voix.

Rochat regarda une nouvelle fois la prévenue. Leurs yeux se rencontrèrent. Elle avait pleuré. Il hésita, puis se ravisa. Décidément non, il n'en avait pas la moindre idée. Mais ce qu'il savait, c'est que pour la première fois de sa vie il voyait la dénommée Alba en chair et en os, celle qui était responsable de leurs malheurs.

58

Keller aperçut la tignasse blonde de Rochat qui disparaissait sous les flots boueux. Un bref instant, il ressentit une forme de soulagement. L'Albanais venait de lui offrir la vengeance dont il avait si souvent rêvé. Combien de fois s'était-il imaginé retrouver l'assassin de sa fille, l'abattre d'un coup de feu ou l'écraser avec sa propre voiture ?

Le temps avait fini par apaiser ses envies de meurtre, mais sa douleur de père ne l'avait jamais quitté. Il avait cherché à la noyer dans le travail et avait complètement négligé Flavie. Ils avaient partagé leur souffrance, mais chacun de son côté. Lui, en silence. Elle, avec son rituel, chaque soir dans la chambre de Mathilda. Sa famille et son mariage étaient morts depuis trois ans, sa passion pour la banque aussi. Chiffres, marges, résultats, plus rien n'avait de sens pour lui.

Keller regarda Balla. Le proxénète souriait encore. Ils allaient tous mourir et ça l'amusait. Il n'avait aucun respect pour la vie d'autrui, pas même pour la sienne. À côté de lui, le juge Ansermet semblait médusé, comme s'il avait voulu agir sans savoir quoi faire. Et Keller eut l'impression de voir le visage de sa fille. Mathilda lui souriait, avec ses yeux pétillants et son innocence. Elle était là, elle le regardait. Elle attendait qu'il prenne la bonne décision. Sa petite fille, son amour, son sang, la chair de sa chair, sa fierté.

Sous les regards amusés de Balla et pétrifiés d'Ansermet, Keller retira sa veste en lambeaux et plongea dans l'abîme.

Le geste insensé du banquier tira le juge de sa torpeur. Ansermet se précipita au bord du trou. Il cria, mais ses mots se perdirent dans le vacarme de l'eau.

— Qu'est-ce que vous avez fait? hurla Ansermet.

Balla n'avait pas bronché. Toujours appuyé contre la poutre en bois qui soutenait la roue à aubes, trempé par l'écume du torrent qui envahissait la grotte, il continuait de sourire de manière inquiétante. Les lèvres de l'Albanais remuèrent et il cria:

— Notre hôte réclamait une tête, je lui en apporte deux!

— Vous les avez assassinés! hurla Ansermet.

— Tout de suite les grands mots, ricana Balla. Des mots, c'est tout ce dont tu es capable, petit juge. Le banquier, lui, il a agi. Sans réfléchir, mais il a agi.

Ansermet colla son torse contre celui de Balla. Le proxénète le dépassait d'une bonne tête. David contre Goliath.

— Tu les as assassinés! répéta le juge en passant soudain au tutoiement.

— Ça ne fait que deux connards de plus à mon tableau de chasse, s'énerva soudain Balla en repoussant Ansermet. Et avec toi, ça fera trois. Parce que je n'ai encore jamais éliminé de juge, mais il faut bien commencer une fois.

Décidé à tuer, Balla s'avança vers Ansermet. Le magistrat évita un premier coup de poing, ceintura l'Albanais et, libérant toute la rage qu'il avait accumulée, des années durant, à relaxer des criminels faute de preuves, il le précipita contre la structure qui soutenait la grande roue hydraulique. Sous le choc, le bois craqua, les solides poutres résistèrent, mais un pan du survêtement de l'Albanais s'était pris dans l'engrenage. En tournant, les rouages d'acier happèrent et déchiquetèrent le tissu, puis la chair. Berti Balla hurla de douleur. Pour la première fois de sa vie, il eut peur. Le métal broya ses muscles et ses os, jusqu'à ce que son bras droit se détache de son épaule.

Libéré du piège d'acier, Balla se redressa et tourna sur lui-même en criant, comme s'il cherchait son membre arraché. Du sang giclait de la plaie béante par saccades.

Il y eut un nouveau bruit sourd au niveau supérieur de la grotte, une vague déferla sur l'escalier métallique. Ansermet s'agrippa de toutes ses forces à une poutre et ferma les yeux. Le raz-de-marée faucha Berti Balla et l'entraîna à son tour dans l'abîme.

Serge Rochat acheva son témoignage. Sa sortie miraculeuse des moulins. Son soulagement quand il avait aperçu Norbert Jemsen et Daniel Garcia sur le parking de l'entreprise Comadur.

La présidente du tribunal passa ensuite la parole à ses assesseurs, qui n'avaient pas de questions supplémentaires à poser au témoin. Le procureur non plus. Jemsen se souvenait de cet homme paniqué qu'il avait vu errer comme un zombie devant les bâtiments du col des Roches. Une loque humaine aux habits détrempés et boueux, qui titubait, se retournait sans cesse comme s'il avait le diable aux trousses et arrivait à peine à aligner deux mots audibles. Une victime aux antipodes de l'homme posé et réfléchi qui témoignait aujourd'hui devant la justice.

— Maître Studer, avez-vous des questions à poser au témoin ? demanda la présidente.

L'avocat de Tanja se leva, réajusta la bavette de sa robe comme s'il resserrait une cravate.

— Quelques-unes, madame la présidente, je vous remercie. (Il se tourna vers le témoin.) On peut dire que vous avez eu beaucoup de chance dans cette histoire, monsieur Rochat. En convenez-vous ?

— Je ne sais pas si on peut parler de chance. Je me serais bien passé de tout ce qui m'est arrivé. Mais si je suis ici aujourd'hui, c'est grâce à Alain Keller.

— Je reviendrai tout à l'heure sur l'acte de M. Keller. Avant cela, j'ai quelques questions qui concernent votre vie d'avant.

— Ma vie d'avant ? s'étonna Rochat.

— Votre vie d'avant les moulins, si j'ose m'exprimer ainsi.

La présidente jeta un regard noir à l'avocat de Tanja, qui comprit qu'il s'aventurait sur un terrain glissant. Il ajouta :

— Oh ! je vous rassure, monsieur Rochat, nous n'allons pas refaire le procès de la mort de la petite Mathilda Keller. Vous avez été jugé. Toutefois, je m'étonne d'un point. À en croire votre récit, vous seriez le seul des quatre hommes à ne jamais avoir eu le moindre lien avec Alba Dervishaj. Le confirmez-vous ?

Le témoin regarda une nouvelle fois la prévenue.

— Je le confirme. Je ne connais personne du nom d'Alba Dervishaj et je n'ai jamais vu l'accusée.

— En êtes-vous certain ?

— Je suis formel.

— N'avez-vous jamais été client du Perla Blu par le passé ?

— Non. Je n'ai jamais fréquenté de prostituée. Je n'avais pas besoin de ça.

L'avocat sourit.

— Effectivement, vous n'aviez pas besoin de ça, monsieur Rochat. Toutes les femmes étaient à vos pieds, à l'époque de l'accident de la petite Mathilda. Vous étiez un jeune homme comblé, avec une belle voiture…

— Je ne vois pas le rapport avec ce procès. De toute façon, c'est une époque révolue. Je suis marié, aujourd'hui.

— Oui, c'est vrai. Vous êtes marié. D'ailleurs, félicitations pour la naissance de votre fils.

— Merci, répondit Rochat un peu déstabilisé.

— Comment l'avez-vous appelé ?

— Je ne suis pas sûr de comprendre...

— Je vous demande : comment avez-vous appelé votre fils ?

— Alain.

— Alain, répéta l'avocat. Comme Alain Keller, n'est-ce pas ?

— Oui, répondit timidement le témoin. Avec ma femme, nous avons voulu... rendre hommage à mon sauveur.

— Une vie pour une autre, commenta Me Studer. Alain Keller n'est-il pas mort par votre faute ?

60

Alain Keller sentit son corps tourner dans tous les sens, aspiré par le tourbillon, chahuté par le courant, traîné contre la paroi rocheuse. L'eau l'entourait de partout, impossible de respirer. Il tenta de se mettre en boule pour protéger sa tête du mieux qu'il pouvait. Il imagina un instant ce que les victimes du tsunami du 26 décembre 2004 avaient dû vivre, les mêmes sensations, les mêmes douleurs quand leurs corps avaient été laminés par les objets charriés par la vague.

Le courant avait dû l'entraîner dans une veine souterraine. Il se disait qu'il n'en sortirait jamais vivant, quand il heurta un corps mou. Une main l'agrippa et le tira hors des flots. Son premier réflexe fut de prendre une grande inspiration. Il recracha de l'eau mêlée de limon et ouvrit les yeux.

Rochat était à côté de lui. Sa tête blonde saignait. La sienne aussi. Leurs corps étaient comme en suspension dans une cuvette d'eau plus calme. Leurs pieds ne touchaient pas le sol. Keller faisait instinctivement des mouvements de brasse pour tenir à la surface. Rochat s'agrippait à des interstices de la roche.

Ils étaient dans une cheminée d'à peine deux mètres de diamètre. Loin au-dessus d'eux, un grillage métallique

barrait la sortie. L'eau montait et les entraînait centimètre par centimètre vers ce piège mortel. Derrière la
grille, ils devinaient la galerie boisée du moulin.

— Pourquoi… ? balbutia Rochat.

Le blond voulait comprendre pourquoi le banquier
était là, avec lui. Keller comprit ce qu'il allait dire. Il
le coupa :

— Pas maintenant.

La cheminée avait la forme d'un long entonnoir
inversé. Le canal se rétrécissait vers le haut, la grille ne
devait pas mesurer plus d'un mètre de diamètre.

— Il faut desceller ces fers avant que l'eau ne nous
entraîne contre eux.

Keller tenta de prendre appui contre la roche, mais
la cheminée était encore trop large. Il attendit que le
niveau de l'eau les fasse monter encore un peu. Quand
il sentit qu'il était capable de prendre appui jambes écar-
tées de part et d'autre de la roche, il utilisa toutes ses
forces pour s'extraire de l'eau et grimper.

Keller n'avait jamais fait beaucoup de sport dans sa
vie et encore moins depuis que sa fille était morte. Il
était devenu un gratte-papier pataud et bedonnant. Il
glissa et retomba deux fois. Mais à l'article de la mort,
un homme trouve toujours des ressources insoupçon-
nées. Sous les yeux médusés de Rochat, le banquier
réussit à atteindre la grille et à s'y accrocher. Ses jambes
glissèrent encore sur la roche mouillée. Mais il tint bon,
le corps pendu dans le vide. Dans cette position acroba-
tique, il utilisa ses dernières forces pour tirer le grillage,
le pousser, le secouer.

Sous les pieds de Keller, le niveau de l'eau montait,
la tête de Rochat s'approchait. Il fallait faire vite. Le

banquier déplaça ses doigts vers un bord de la grille et utilisa tout son poids pour la tirer vers le bas. Les soudures lâchèrent, les fers se plièrent, mais résistèrent. S'il lâchait sa prise, l'effet ressort refermerait l'issue. Il ne bougea plus.

— Qu'est-ce que vous faites ! cria Rochat. Montez !

— Si je monte, je ne réussirai jamais à la replier.

Les secondes parurent des heures, le niveau de l'eau atteignait les jambes, puis le torse de Keller et amenait Rochat à sa hauteur. L'eau commençait à réduire le poids du banquier.

— Vite ! cria-t-il. Grimpe !

Le blond comprit l'urgence. Il s'accrocha à son tour au grillage plié et se hissa hors de la cheminée. Quand il prit pied sur la dalle de pierre et regarda Keller, la grille refermait déjà l'accès. Il sauta de tout son poids pour la faire revenir, mais elle ne céda pas.

Keller le regardait à travers le grillage. Il lui sourit tristement une dernière fois et lui dit :

— Sors d'ici !

Rochat paniqua, se mit à pleurer.

— Vous saviez qu'un seul de nous deux s'en sortirait. Pourquoi moi ? J'ai tué votre fille…

— Et toi, tu vas devenir père. Moi, je n'ai plus rien. Pars !

Rochat comprit que Keller s'était sacrifié pour lui sauver la vie. Il se mit à secouer la grille de plus belle, mais les tiges de métal étaient plus fortes que lui. Le niveau de l'eau montait encore. Il ne restait plus que quelques centimètres avant que le piège se referme sur le banquier. Ses cheveux étaient déjà submergés. Seul le haut de son visage émergeait encore.

Avant de disparaître sous l'eau, Keller glissa une dernière phrase à Rochat. Puis il lâcha prise. Il sentit son corps s'enfoncer lentement dans les entrailles de la terre.

Au moment de perdre connaissance, il vit une dernière fois le visage de sa fille. Elle lui tendait les bras en souriant.

61

Le récit du second témoin jeta un froid dans la salle d'audience. Un silence pesant régnait, que Mᵉ Studer rompit de sa voix grave.

— Pourquoi n'avez-vous pas donné tous ces détails lors de votre audition devant le ministère public?

Rochat hésita.

— Je ne sais pas. Je crois que j'aurais voulu le faire en présence de Mᵐᵉ Keller, mais ce n'était pas elle qui officiait comme greffière quand le procureur Jemsen m'a interrogé.

— C'est normal, confirma l'avocat. Elle était trop impliquée dans ce dossier. Mais vous auriez pu contacter Mᵐᵉ Keller dans un cadre privé pour lui raconter l'acte héroïque de son mari. Pourquoi ne l'avez-vous pas fait?

— J'ai essayé, s'insurgea le témoin. Mais elle n'a jamais répondu à mes messages et quand je l'ai appelée, elle a raccroché en entendant mon nom.

Jemsen regardait Flavie, assise au fond de la salle. Elle pleurait discrètement. Jusqu'à présent, personne n'avait fait attention à elle.

— Que vous a dit Alain Keller avant de mourir? relança Mᵉ Studer.

Rochat baissa les yeux et fixa le sol devant lui. Jamais il n'oublierait les dernières paroles du banquier.

— «Dites à ma femme que je l'aime.»

— Menteur! hurla une voix féminine du fond de la salle.

Tous les regards se tournèrent vers Flavie. La greffière de Jemsen s'était levée. Ses yeux pleins de larmes fusillaient Rochat. Le procureur voulut intervenir, mais la présidente de la cour criminelle le fit à sa place.

— Madame, qui que vous soyez, veuillez vous rasseoir et ne plus interrompre l'audience. À défaut, le tribunal n'aura d'autre choix que d'ordonner votre expulsion de la salle. Vous vous exposez également à une amende disciplinaire en cas de récidive.

— Mais c'est un menteur, gémit Flavie. Un menteur et un assassin. Il a tué ma fille et mon mari. Jamais Alain ne lui aurait dit ça. Il ne m'aimait plus.

Flavie s'écroula en pleurs sur son banc. La présidente fit signe à un gendarme de la faire sortir de la salle. Comprenant la situation, Rochat se leva et s'adressa au gendarme.

— Attendez, supplia-t-il.

Le gendarme s'arrêta, regarda la présidente, qui lui fit signe de patienter.

— Madame Keller, reprit Rochat avec des sanglots dans la voix. Je sais que vous avez toutes les raisons de me haïr. Probablement ne me pardonnerez-vous jamais ma terrible faute. Il ne se passe pas un seul jour sans que j'y pense. Mais je vous jure sur la tête de mon fils que je viens de dire la vérité. Ce sont les dernières paroles qu'Alain a prononcées avant de mourir. Et il a ajouté : « Dites-lui qu'elle doit débarrasser les affaires de la chambre de Mathilda et recommencer à vivre. »

Flavie porta ses mains devant sa bouche. Rochat ne mentait pas. Il ne pouvait pas mentir à ce sujet. La chambre de Mathilda était leur secret, un secret que Rochat ne pouvait pas connaître. La haine quitta les yeux de la greffière. Ses larmes redoublèrent. Elle se leva et suivit le gendarme vers la sortie. En pleurs, elle regarda Rochat une dernière fois et murmura à son intention un mot qu'elle n'aurait jamais imaginé dire au meurtrier de sa fille.

— Merci.

62

À genoux sur la dalle de pierre, Rochat leva les yeux vers le plafond de la grotte et hurla de désespoir. Il continuait à secouer mécaniquement la grille qui lui résistait. Le corps de Keller avait disparu dans les profondeurs de la terre. L'eau bouillonnait à travers le grillage et commençait à inonder le niveau où il se trouvait.

Rochat se releva et regarda autour de lui. Pas très loin, il y avait un gros trou dans la roche, d'où se déversait une cascade d'eau, dans un vacarme continu. L'éclairage vacillait. Les fils électriques lorsqu'ils touchaient l'eau zébraient la pénombre de gerbes d'étincelles. Bientôt, les moulins souterrains ne seraient plus qu'une grosse poche inondée. Rochat comprit qu'il finirait noyé s'il ne trouvait pas rapidement une issue. Il décida de tenter la double galerie qui soutenait le moulin. Au moment où il se dirigeait vers l'escalier en bois, il se retrouva nez à nez avec Ansermet.

Le juge venait de braver le torrent qui dévalait la partie supérieure de l'escalier métallique. Les deux hommes se regardèrent et comprirent sans un mot qu'ils étaient les derniers en vie. Ansermet s'avança en chancelant. Il avait les yeux d'un fou. Rochat tressaillit en voyant le bras arraché que le juge tenait dans une main.

— Qu'est-ce que c'est ? bredouilla-t-il.

— Une pièce à conviction, marmonna Ansermet.

Il n'y croyait pas lui-même. Si on le lui avait demandé, il aurait été incapable de dire pourquoi il n'avait pas abandonné le membre arraché dans les engrenages de la roue hydraulique. Il le traînait comme un enfant l'aurait fait d'un ours en peluche trop grand pour lui. Ses yeux hagards scrutaient le néant. Rochat s'approcha de lui et lui dit fermement :

— Jetez ça et suivez-moi.

Ansermet regarda le bras de Balla et, comme s'il avait soudain pris conscience de l'ineptie de son comportement, lâcha sa prise. Les flots déchaînés qui balayaient les deux hommes au niveau des chevilles emportèrent le membre mutilé vers l'escalier de métal.

— Venez ! répéta Rochat de manière bienveillante, comme un père s'adresserait à son enfant en prenant garde de lui cacher sa peur.

Rochat prit la main du juge. Ils marchèrent jusqu'à l'escalier de bois. La galerie qui menait à la sortie était le seul endroit de la grotte que l'eau n'avait pas encore atteint. Ils montèrent jusqu'au deuxième étage et gagnèrent l'issue principale des moulins. À leur grande surprise, ils trouvèrent la porte ouverte.

Rochat voulut presser le pas. Ansermet le retint.

— Attendez, c'est sûrement un piège.

— Parce que derrière nous, vous croyez que c'est mieux ?

Et il courut vers la sortie. Le juge lui emboîta le pas.

Ils passèrent la porte. Un escalier en béton montait sur la gauche et menait directement au musée, à côté de la billetterie. Rochat grimpa les marches quatre à quatre. Ansermet allait le suivre quand deux bras sortis de nulle part le ceinturèrent par-derrière. Il cria. Déjà arrivé en haut de l'escalier, Rochat se retourna. Il aperçut le moine dans sa robe de bure. Le juge se débattait sans succès. Il se retrouva plaqué face contre le mur, immobilisé par une clé de bras.

Le masque vénitien, les yeux sombres se tournèrent vers le haut de l'escalier. Terrorisé, Rochat recula d'un pas en croisant le regard du moine. Calme mais glaciale, la voix métallique filtra à travers le respirateur :

— Fous le camp !

Rochat ne se fit pas prier.

63

La Subaru banalisée des stups parcourut la route sinueuse des gorges du Seyon en poussant un petit cent vingt kilomètres-heure. À la limite de la perte de maîtrise à chaque virage, Garcia monta à cent soixante sur le pont de Valangin. Tétanisé sur le siège passager, Jemsen se cramponnait à la ceinture de sécurité. Les autres voitures s'écartaient les unes après les autres en entendant la sirène et en apercevant les éclairs du gyrophare dans leurs rétroviseurs.

Sur le plat de Malvilliers, Garcia passa un appel téléphonique au chef de quart, via le système Bluetooth de la voiture.

— C'est Dan. Concernant la déclaration d'Élodie Rochat, peux-tu me rappeler ce qu'elle t'a dit exactement sur les circonstances de la disparition de son mari ?

Jemsen entendait les réponses par les haut-parleurs de la Subaru.

— Il devait faire une livraison de nourriture au col des Roches.

— Elle a donné l'adresse ?

— Aux moulins souterrains.

— Mais ils sont fermés.

— Les Rochat pensaient qu'ils allaient rouvrir au

public et qu'une cérémonie d'inauguration se préparait. J'ai vérifié, c'est faux. Jamais le géologue cantonal n'a donné son autorisation pour une réouverture, même si l'engorgement du Bied semble sous contrôle.

— On sait pourquoi la digue souterraine a lâché?

— Apparemment, il y a eu une explosion. Sans doute d'origine criminelle. Mais rien n'est encore sûr. Les pompiers sont sur place et sécurisent le périmètre. Ils n'osent pas entrer dans les moulins. C'est trop dangereux. Il y a des risques d'effondrement des bâtiments.

— Et du côté des Brenets?

— Une patrouille est arrivée dans le vallon de la Rançonnière, à l'endroit de la résurgence du Bied. L'eau s'écoule encore abondamment de la falaise. Mes hommes ont requis l'intervention de la cellule psychologique. Les membres de la famille Dätwyler vont être pris en charge. Ils sont très choqués.

— Qui sont les deux morts?

— Les corps sont méconnaissables. L'un d'eux pourrait être Berti Balla. L'autre, on ne sait pas.

Garcia remercia le chef de quart et coupa la communication. Il avait le vague souvenir de colorants que des géologues avaient déversés dans le Bied des années auparavant pour en découvrir la résurgence. Les liquides avaient mis plus de deux jours pour traverser la montagne avant de réapparaître dans le bassin du Doubs.

La Subaru traversa en trombe La Chaux-de-Fonds et Le Locle, déclenchant les flashs de plusieurs radars fixes. Quand elle arriva à proximité du col des Roches, elle franchit les barrages de la gendarmerie et gagna le parking. Les employés de Comadur étaient en train d'être évacués. Principe de précaution, même si l'entreprise horlogère n'était pas directement sur le cours du Bied, ni en bordure immédiate de ce qu'on appelle dans le Jura l'emposieu, ce puits naturel où s'enfonçaient les eaux.

Assis entre deux pompiers à l'arrière d'une fourgonnette des premiers secours, un homme recevait des soins. Il était blessé à la tête, aux bras et aux jambes. Ses habits détrempés étaient déchirés. Garcia et Jemsen s'approchèrent de lui.

— Qui êtes-vous ? demanda le chef des stups.

— Serge Rochat, répondit la victime.

Garcia n'avait pas reconnu le meurtrier de la petite Mathilda Keller. Trois ans s'étaient écoulés depuis qu'il avait vu son visage sur une photo anthropométrique du service forensique. L'homme qu'il avait en face de lui paraissait plus mûr, plus adulte.

— Qu'est-ce qui s'est passé ?

— Je... je ne sais pas, balbutia Rochat. Je n'ai rien compris. Je... il est encore là !

— Qui ça, « il » ?

— Le moine au masque vénitien.

Garcia et Jemsen échangèrent un regard.

— Il retient le juge prisonnier, ajouta Rochat.

— Le juge ? Quel juge ?

— Je ne sais pas. Nous étions quatre dans les moulins. Il y avait aussi un banquier et un géant albanais. Ils sont morts tous les deux. Mais vous devez sauver le juge !

64

Flavie pleurait en faisant les cent pas dans le couloir du premier étage de l'hôtel de ville. Derrière l'unique fenêtre, la neige continuait de recouvrir la route, les engins des travaux publics déblayaient en boucle.

Le témoignage de Serge Rochat l'avait bouleversée. En quelques mots, le meurtrier de sa fille avait anéanti toutes ses certitudes de femme et de mère. En vérité, Alain n'avait jamais cessé de l'aimer. Jusqu'à son dernier souffle, jusqu'à ce que la mort les sépare. Il n'avait pas su le lui montrer. Elle n'avait pas su décrypter les sentiments derrière la souffrance d'un père.

Entre deux sanglots, elle avait pris une résolution : dès ce soir, elle commencerait à débarrasser les affaires de Mathilda. Elle allait faire une croix sur cette chambre d'enfant, ce sanctuaire. Et quitter cet appartement devenu trop grand et trop sombre pour elle. C'était décidé, elle quitterait Auvernier pour se reconstruire ailleurs et croire en l'avenir.

Son avenir s'appelait Tanja Stojkaj.

En écho aux pensées de Flavie, la porte du tribunal s'ouvrit. Elle vit Serge Rochat sortir et gagner l'escalier sans la voir. Elle hésita à l'appeler mais n'en fit rien.

Qu'aurait-elle pu lui dire? Lui aussi avait désormais une vie à reconstruire, avec sa femme Élodie et leur fils Alain.

Elle vit ensuite sortir Tanja dans le couloir, menottée et encadrée par deux gendarmes. La greffière courut vers elle. Les deux femmes se regardèrent. Tanja lui sourit tristement, son visage était creusé, elle avait l'air épuisée.

— Ça va? demanda Flavie.

— Ça pourrait être pire. La juge a prononcé la clôture de l'administration des preuves. Elle a ordonné une brève suspension d'audience avant de passer au réquisitoire du procureur, puis à la plaidoirie de mon avocat.

Tanja désigna les deux gendarmes.

— Mes anges gardiens m'accordent le droit de fumer une cigarette.

Flavie lui sourit.

— Ça va bien se passer, j'en suis sûre.

— J'aimerais avoir la même certitude que toi.

— Tu es innocente, cria presque Flavie. J'en suis convaincue. J'ai lu le dossier. Je sais, je n'aurais pas dû, mais c'est comme ça. Ils ne peuvent pas te condamner.

— Pour certains chefs d'inculpation, oui.

— Mais pas les plus graves!

— Que le ciel t'entende…

Tanja se tourna vers ses gardiens et leur demanda la permission de serrer son amie dans ses bras. Les agents acceptèrent, mais laissèrent les menottes à Tanja. Flavie l'enlaça tendrement et déposa un baiser appuyé sur sa joue. Tanja en profita pour murmurer à l'oreille de Flavie:

— Je sais qui a assassiné ma mère et mon fils, mais je ne peux pas le prouver. Tu peux me rendre un service?

Le moine au masque vénitien retourna Ansermet et le plaqua sans ménagement contre le mur. Il était de taille plus petite que le juge, mais sa force n'avait d'égale que sa haine. Ses yeux plongèrent dans ceux d'Ansermet.

— À nous deux ! grésilla la voix métallique sous le respirateur.

Les mains gantées avaient saisi les pans de la veste trempée et déchirée. Ansermet comprit que son ravisseur ne tenait pas d'arme, mais il resta pétrifié.

— Pourquoi l'avez-vous laissé partir ?

— Parce qu'il ne m'intéresse plus. Il a eu ce qu'il mérite, il a payé sa dette.

— Qui êtes-vous ?

Le moine lâcha Ansermet et recula d'un pas. Le juge ne fuirait pas, la peur le paralysait et l'envie de comprendre était plus forte encore. Le moine le savait.

Il leva les mains de chaque côté de sa capuche et la rabattit en arrière, libérant des cheveux en pagaille. Puis il fit glisser le loup vénitien sur son front, dévoilant des yeux rougis par les larmes et la rage. Enfin, il retira son masque respiratoire.

— J'espère que tu me reconnais, dit un timbre féminin que le modificateur de voix avait masculinisé.

Ansermet écarquilla les yeux. Il n'était qu'à moitié surprise tant il avait vu et revu ce visage en pensée.

— Tanja... je...

— Ta gueule, Fred! Est-ce que tu as tué Loran?

— Loran?

Ansermet n'avait jamais entendu ce prénom.

— Mon fils.

— Notre fils! Bon Dieu, Tanja, cet enfant était aussi le mien! Pourquoi tu ne me l'as pas dit?

— Parce que tu n'existais plus pour moi.

— J'étais son père, j'avais le droit de savoir!

— Tu n'avais qu'un seul droit, disparaître de ma vie.

— Parce que je suis un «gros con»? C'est ça?

C'était lui qui s'était ainsi surnommé dès le début de leur liaison, par autodérision. Lors de leurs premières disputes, elle avait repris le surnom à son compte. Elle ne l'appelait plus que comme ça, le «gros con».

— Pire qu'un «gros con», répondit-elle. Je répète ma question: as-tu tué Loran?

— Évidemment non! se défendit Ansermet.

Elle fit un pas dans sa direction et le plaqua à nouveau violemment contre le mur.

— Qui alors?

— Je ne sais pas, Tanja! Bordel, je ne sais pas! Personne n'a avoué l'avoir fait, en bas.

Il se mit à pleurer et la regarda.

— Il y a eu deux morts, tu te rends compte? Deux morts par ta faute.

— Sélection naturelle, lâcha-t-elle sans la moindre émotion dans la voix.

— Sélection naturelle, mon cul! cria le juge. J'ai tué un de ces hommes. Tu m'as transformé en criminel.

— Si tu as tué Balla, tu n'as fait que rendre la justice. Correctement pour une fois.

— Je ne sais pas comment il s'appelait. C'était un grand svelte, avec un accent albanais. Il disait…

— Je sais qui il est. Si ça se trouve, tu n'as fait que venger la mort de Loran.

— Mais je l'ignore. Et apparemment, toi aussi.

— C'est bien pour ça que je vous ai précipités tous les quatre dans la fosse aux lions, rugit Tanja. Pour savoir ! Ma mère et mon fils sont morts. Ils étaient ce qui me restait de plus cher sur cette terre. Et vous aviez tous un mobile.

— Dans ce cas, pourquoi as-tu laissé filer le blond ?

— Parce que lui, c'est différent.

Flavie profita de la reprise des débats pour descendre dans les locaux de la police de proximité. Les gendarmes étaient encore dans la salle d'audience ou en pause pour le déjeuner. Elle s'assura qu'il n'y avait personne à la réception, fit jouer son badge sur la serrure électronique, pénétra dans les lieux et trouva la petite boîte métallique que Tanja lui avait décrite, celle qu'elle avait repérée plus tôt dans la matinée en allant fumer une cigarette.

— Surtout ne l'ouvre pas, lui avait dit Tanja. Prends-la et glisse-la dans la chasse d'eau des W.-C. femmes du premier étage.

Flavie suivit les consignes à la lettre, puis elle quitta l'hôtel de ville. Elle retrouva sa voiture recouverte d'une épaisse couche de neige, dégagea les vitres et prit la direction de Neuchâtel.

Debout derrière son pupitre, Jemsen s'adressa au tribunal.

— Madame la présidente, messieurs les juges, la cause que vous avez à juger aujourd'hui est complexe à plus d'un titre. Il s'agit d'une affaire à tiroirs, dans laquelle les victimes sont légion. Il y a eu des morts. Alain Keller et Robert Balla. Mais aussi la petite Mathilda Keller, ainsi que la mère et le fils de la prévenue, le petit Loran âgé de deux ans. Même si l'enquête vaudoise sur ce double assassinat n'est pas terminée, vous ne devrez pas les oublier au moment de rendre votre jugement.

Jemsen marqua une pause et fixa Tanja. Elle évita son regard.

— Parmi les victimes, il y a aussi celles qui ont frôlé la mort, Serge Rochat et Frédéric Ansermet. Et toutes les autres qui garderont des séquelles à vie de cette histoire, comme ma greffière Flavie Keller dont vous avez pu constater la douleur tout à l'heure. Et d'autres victimes collatérales encore, comme les membres de la famille Dätwyler. Imaginez les cauchemars que doivent encore faire les enfants après avoir vu le flanc de la montagne accoucher de deux corps mutilés au milieu d'un agréable piquenique familial. Parmi toutes ces victimes, il y a la prévenue. Une fille anéantie par la mort de sa mère, une mère broyée par la mort de son fils. Une femme qui a tout perdu, sans obtenir à ce jour la moindre explication sur l'assassinat des siens. Avant de la juger, vous devrez vous poser ces deux questions, madame la présidente, messieurs les juges : jusqu'où une mère est-elle prête à aller pour défendre son enfant ? Et jusqu'où est-elle prête à aller si elle échoue dans cette tâche ?

Jemsen savait que la présidente était mère elle aussi, mais était-elle seulement capable d'imaginer ce que Tanja avait vécu ?

— La prévenue a commis des infractions dans un état psychique que l'expert a qualifié de « fortement perturbé », mais qui ne la dispense pas de toute responsabilité pénale. La prévenue admet le bris des scellés de la rue Neuve à Lausanne, l'usurpation de fonction qui lui a fait présenter une carte de police à une vieille dame et les lésions corporelles qu'elle a infligées à un suspect arrêté par la police neuchâteloise. Vous devrez la condamner pour ces actes. En revanche, la prévenue conteste toute participation dans l'évasion de Robert Balla, ainsi que dans les rapts de Frédéric Ansermet, Serge Rochat et Alain Keller, de même qu'elle nie toute implication dans les faits qui se sont déroulés dans les moulins souterrains du Col-des-Roches. Bref, elle conteste les préventions les plus graves retenues dans l'acte d'accusation du ministère public : assistance à évasion, enlèvements, séquestrations, usage illicite d'explosifs et meurtres.

Jemsen soupira et poursuivit.

— Le ministère public n'a hélas pas de preuves concrètes à présenter au tribunal concernant les chefs d'inculpation que conteste la prévenue. Le dossier ne fournit qu'un faisceau d'indices, mais est-il suffisant pour décider d'un verdict de culpabilité? Je n'ai pas la réponse à cette question. Si vous arrivez à vous forger l'intime conviction que la prévenue a bel et bien commis ces actes, vous devrez la condamner. Dans le cas contraire, vous devrez la libérer. Mais se posera alors cette question, madame la présidente, messieurs les juges: si la prévenue n'a pas commis ces actes, qui les a commis?

68

— Pourquoi le cas du blond est-il différent? demanda Ansermet.

— Tu n'as pas besoin de le savoir. J'avais des raisons de lui en vouloir. Lui, non. Il ne me connaît même pas. Il s'en est sorti et tant mieux pour lui. La nature l'a voulu ainsi.

— La nature? Ce n'est pas la nature qui a tué les deux autres.

— Qui a tué le banquier?

— L'Albanais. Mais tu te rends compte de ce que tu as fait, Tanja? Pourquoi cette folie meurtrière? Pour venger notre fils? Pourquoi n'as-tu pas laissé la police faire son travail?

— Parce que la police a les limites d'un code de procédure qui la paralyse. Tu le sais bien, toi, avec toutes les crapules que tu as été contraint d'acquitter faute de preuves.

— Si la justice a ses règles, c'est pour éviter des erreurs. Tu sais ce qu'on dit, mieux vaut un coupable en liberté qu'un innocent en prison.

Tanja ricana.

— Théorie de merde. On verra si la justice m'applique la même règle quand elle me jugera. Mais j'ai conservé mon honneur, sourit-elle effrontément. Peut-être mon côté albanais. Loin de ta petite vie tranquille faite de cachotteries et de mensonges.

Ansermet répondit sèchement :

— Ton sens de l'honneur a-t-il la même valeur que les principes d'honnêteté et de franchise que tu m'as si souvent vantés ?

Tanja savait où le juge voulait en venir.

— Laisse tomber, Fred.

— Non, je ne laisserai pas tomber, s'énerva Ansermet. Tu m'as accusé de t'avoir menti, mais tu n'as jamais voulu m'écouter. Il m'est certes arrivé de te cacher de petites choses sans importance. Vingt ans de mariage avec une femme soupçonneuse, ça forge un homme. Je n'ai jamais trompé ma femme et je ne t'ai jamais trompée, mais tu n'as pas voulu m'écouter. Tu t'es enfermée dans tes certitudes de bête à cornes, d'enfant unique qui ne supporte pas qu'on la contrarie. Tu n'as jamais su voir que j'avais souffert d'avoir abandonné ma famille pour toi.

— Ne me reproche pas d'avoir quitté ta femme à cause de moi, s'énerva Tanja à son tour. Tu sais que c'est faux !

— Et toi, ne me rebats pas les oreilles avec tes principes ! Me traiter de menteur, alors que toute notre relation était fondée sur un mensonge.

— Quel mensonge ? Moi, je t'aimais.

— Ton aventure avec un flic marié, Tanja !

— C'était avant d'être avec toi.

— Sauf que tu m'avais dit, dès le premier jour, que tu étais lesbienne depuis des années, que tu n'avais plus eu d'homme dans ta vie depuis cinq ans. Et moi, je découvre par accident que moins de deux ans avant tu as failli te mettre en ménage avec un de tes collègues, qu'il a abandonné sa femme et ses enfants pour toi. Comment ne pas en déduire que tu m'as manipulé comme lui depuis ton premier message ? Et pour couronner le tout, tu n'as rien trouvé de mieux que de porter plainte contre sa femme, quand elle a pété un câble et s'en est prise à toi. C'était minable, Tanja !

— Arrête, Fred ! Tu ne sais même pas ce qui s'est passé.

— Ah non ? Tu veux que je te cite le numéro de la procédure ? Je le connais par cœur. Comme le contenu du dossier. Tu as même refusé de retirer ta plainte contre cette pauvre femme quand le procureur a essayé de te faire comprendre que ta position était délicate. Pour un flic assermenté, c'est une honte !

— Ce n'est pas parce que je suis flic que je dois accepter d'être injuriée et menacée.

— Encore un de tes beaux principes, Tanja ? C'est surtout ton ego de petite princesse qui en a pris un coup !

La gifle partit, violente, elle fendit la lèvre du juge. Il se tut, respira un bon coup.

— J'aurais pu mourir moi aussi dans ces moulins, reprit-il plus calmement.

La réponse cingla, glaciale.

— Je sais.

— Et ça t'aurait été égal ?

— Complètement.

Ansermet essuya le sang qui perlait de sa lèvre ouverte.

— Au moins, les choses ont le mérite d'être claires. Tu es malade, Tanja, vraiment malade. Tu as besoin d'aide, tu ne surmonteras jamais la mort de ta mère et de notre fils sans un sérieux coup de main. Mais jamais tu ne l'admettras. Maintenant, qu'est-ce que tu comptes faire ? M'achever ? Exit le « gros con » ? C'est ce que tu envisages ? Ça ne te ramènera pas Loran.

69

Garcia dégaina son arme de service et se tourna vers Jemsen.

— Restez en retrait, je ne veux prendre aucun risque.

À peine Garcia avait-il terminé sa phrase que la porte vitrée de l'entrée des moulins s'ouvrit. Deux silhouettes apparurent côte à côte. Le chef des stups pointa le canon de son arme dans leur direction.

— Police ! Mettez les mains en l'air et avancez dans notre direction. Lentement.

Les silhouettes quittèrent la zone d'ombre. Garcia reconnut Tanja et le juge Ansermet dont il avait vu la photo sur un avis de disparition. Il hésita, commença à baisser son arme, quand une voix hystérique hurla soudain derrière lui :

— C'est elle !

Rochat les avait suivis sans qu'ils s'en rendent compte. Garcia s'en voulut de ne pas avoir donné des consignes plus strictes aux pompiers, mais c'était trop tard. Il devait gérer la situation et resta sur ses gardes.

Sans quitter Tanja et Ansermet des yeux, le policier cria :

— Retournez immédiatement d'où vous venez, monsieur Rochat ! C'est un ordre !

— Mais c'est elle, je vous dis !

— Elle quoi ? demanda Garcia.

— C'est elle, le moine au masque vénitien ! Ça ne peut être qu'elle. Cette femme n'était pas avec nous dans les moulins.

Sans baisser les mains, Tanja injuria Rochat.

— *Bir i kurvës !*

« Fils de pute ! » Garcia reconnut l'injure albanaise, des trafiquants d'héroïne la lui avaient plusieurs fois lancée lors d'interpellations.

— Vous voyez, rebondit Rochat hors de lui en entendant l'intonation menaçante de l'injure. C'est elle, c'est clairement elle ! C'est quoi, cette langue ? De l'albanais ? C'est cette Alba Dervishaj qui nous a enlevés pour découvrir qui a tué sa mère et son fils.

Sans cesser de pointer Tanja et Ansermet de son arme, le chef des stups ordonna :

— Monsieur Rochat, rejoignez les pompiers ou je vous arrête pour entrave à l'action pénale !

Quand il fut parti, Garcia s'avança avec précaution vers Tanja et Ansermet qui gardaient les bras levés.

— C'est quoi, ce bordel ? demanda le chef des stups.

Ansermet ne répondit pas. Que pouvait-il dire ? Qu'il avait convaincu Tanja de se débarrasser de son ridicule accoutrement et, qu'avant de sortir, il était lui-même retourné dans la galerie pour jeter la robe de bure, les gants et les deux masques dans les flots déchaînés ?

Tanja prit la parole d'une petite voix :

— Ce n'est pas ce que tu crois, Dan.

Garcia ne croyait rien. Il ordonna simplement :

— Tes mains !

Tanja comprit. Docile, elle baissa lentement les bras et

lui présenta ses poignets. Garcia lui passa les menottes, sous les yeux incrédules de Jemsen.

Au moment où les bracelets métalliques se refermaient sur les poignets de Tanja, Ansermet maugréa sans conviction :

— Laissez-la, elle n'a rien fait. Vous feriez mieux de découvrir qui a assassiné sa mère et notre fils.

70

Les conclusions du procureur résonnèrent comme un coup de marteau dans la salle du tribunal de La Chaux-de-Fonds. Au terme de son réquisitoire, Jemsen se rassit. Invité à s'exprimer à son tour, Me Studer se leva.

— Madame la présidente, messieurs les juges, vous venez d'entendre la plaidoirie d'un procureur qui vacille. Et s'il vacille, c'est parce que le dossier de cette triste affaire est vide. Comment le ministère public ose-t-il requérir une peine alternative aussi déséquilibrée ? Quatre mois de prison si vous ne retenez que les préventions admises par ma cliente ou quinze ans de prison si vous la reconnaissez coupable de tous les chefs d'accusation. De la part d'un procureur, c'est un aveu d'impuissance.

L'avocat de Tanja leva un index au ciel et poursuivit d'un ton solennel.

— Dois-je rappeler à votre tribunal ce qu'est le bénéfice du doute ? Tout dans ce dossier est dénué de preuves et d'indices suffisants. Tout n'est que doute. Le fameux doute raisonnable et insurmontable de la jurisprudence. De plus, le procureur vous a demandé qui d'autre que ma cliente aurait pu commettre ces actes. Mais ce n'est pas à elle, ni à moi, ni même à vous de répondre à cette question. Ce n'est pas au prévenu de prouver son innocence, mais au ministère public de prouver sa culpabilité. Et le moins qu'on puisse dire, c'est que le procureur n'a pas su la prouver.

L'avocat chercha une feuille dans son dossier.

— Qui peut prouver l'implication de ma cliente dans l'évasion de Robert Balla ? Personne. Balla est mort. Et qui serait assez stupide pour laisser son ADN sur un câble et conclure un abonnement téléphonique à son nom ? C'est ridicule. Ma cliente a été piégée, c'est une évidence que votre tribunal devra retenir. Qui peut prouver l'implication de ma cliente dans l'enlèvement de ces quatre hommes et la séquestration des moulins souterrains du Col-des-Roches ? Robert Balla et Alain Keller sont morts. Frédéric Ansermet a refusé de témoigner et vous avez entendu le témoignage de Serge Rochat : le ravisseur pourrait être n'importe qui, une femme comme un homme. Rochat a évoqué une voix d'homme. Et on n'a jamais retrouvé l'étrange déguisement.

L'avocat appuya ses deux poings sur la table devant lui et fixa tour à tour les trois membres du tribunal dans les yeux, s'assurant qu'il captait leur attention.

— Au final, personne – je dis bien personne ! – ne peut affirmer que ma cliente est impliquée dans l'évasion de Balla, dans ces quatre rapts et dans les événements des moulins. Quant aux explosifs utilisés pour faire sauter la digue souterraine, leur analyse ne nous a rien appris. Pourquoi ? Simplement parce que ma cliente est innocente. Elle n'est qu'une victime. Victime d'une machination, d'un complot, d'un psychopathe non identifié qui a voulu lui faire porter le chapeau. Victime au même titre que toutes les autres victimes de cette affaire.

220

Victime d'un double assassinat, celui de sa mère et de son fils, dont on ne sait toujours pas aujourd'hui qui en est l'auteur.

Me Studer regarda la présidente avec insistance.

— Madame la présidente, vous êtes une femme et une maman. S'il y a une seule vérité à retenir du réquisitoire du procureur Jemsen, c'est celle-ci : mettez-vous un instant à la place de ma cliente ! Vous savez ce dont une mère est capable pour protéger son enfant, alors imaginez sa détresse si elle échoue dans cette tâche. Et j'irai même plus loin : imaginez l'épreuve d'une mère quand elle sait que son enfant est mort parce qu'on a découvert trop de son sang pour exclure qu'il puisse encore être en vie, et qu'on n'a pas encore retrouvé son corps. Les plongeurs de la police vaudoise ont effectué de nombreuses recherches, mais Dieu seul sait où ce voilier a pu naviguer pour se délester du corps. Le lac Léman est vaste.

L'avocat haussa les épaules et poursuivit :

— Pourquoi ne pas avoir nettoyé le pont du bateau, me demanderez-vous ? La réponse est évidente. L'assassin est un sadique, il voulait faire souffrir ma cliente, la faire vivre dans la certitude que son fils était mort sans lui laisser la possibilité d'enterrer le corps, de faire son deuil.

Me Studer se pencha vers Tanja et posa ses mains sur les épaules fragiles de sa cliente, en continuant de fixer les juges.

— Observez la souffrance de ma cliente, de cette mère que la vie n'a pas épargnée. Elle quitte son existence misérable en Albanie, mais c'est un réseau criminel de prostitution qui l'installe en Suisse. Il y a le déracinement, la vie glauque des salons de massage, un maquereau violent, une relation secrète avec un juge qui ne saurait s'afficher publiquement avec une prostituée et auquel elle a été contrainte de cacher sa grossesse…

71

Le lendemain de l'arrestation de Tanja, Jemsen vit arriver sa greffière dans son bureau. Ses yeux étaient rouges, elle n'avait visiblement pas dormi de la nuit.

— Flavie, j'étais sur le point de venir vous voir à…

— L'hôpital ? J'en suis sortie immédiatement. C'était pire qu'une prison.

La greffière tendit un lot de documents au procureur.

— Vous ne devriez pas être ici.

— Je préfère cent fois être ici. À l'hôpital, les médecins voulaient me bourrer de médicaments. À la maison, je n'ai plus personne à qui parler. De toute façon, avec Alain, on ne se parlait plus depuis trois ans. Maintenant, son corps est au CURML pour l'autopsie et on ne me le rendra pas avant demain. Au moins ici, j'ai le sentiment de servir à quelque chose.

— Mais les autres membres de votre famille pourraient peut-être…

— Vous êtes ma seule famille, le coupa-t-elle, en insistant pour qu'il prenne les documents.

— Qu'est-ce que c'est ?

— L'ordonnance d'ouverture d'instruction contre Tanja et divers mandats pour la police.

Le procureur ouvrit de grands yeux étonnés.

— Mais vous avez conscience que vous ne pouvez pas officier comme greffière dans cette affaire. Votre implication personnelle…

— Et la vôtre ?

— Ce n'est pas pareil.

Jemsen saisit les documents et les parcourut. Son stylo lui échappa et glissa sous le bureau. Il ouvrit la bouche mais aucun son n'en sortit. Il ne parvenait pas à croire ce qu'il lisait.

— Mais, Flavie… nous ne pouvons pas faire ça… ce sont des faux !

— Alba Dervishaj, souhaitez-vous faire une déclaration au tribunal ?

Tanja ne broncha pas, les yeux baissés. La présidente répéta la question. Elle leva les yeux, comme si elle comprenait seulement que la juge s'adressait à elle.

— Je vous demande pardon ?

— Avez-vous quelque chose à ajouter à la plaidoirie de votre avocat ? C'est la règle. En tant que prévenue, vous avez le droit de vous exprimer la dernière.

Tanja avait vaguement écouté les débats entre le procureur et son défenseur. Il n'y avait eu qu'un seul tour de parole. Jemsen avait renoncé à répliquer. Elle avait compris que le ministère public avait requis quinze ans de prison si toutes les charges étaient retenues, quatre mois si le verdict se limitait aux seules préventions qu'elle avait admises. Elle avait aussi entendu son avocat demander une réduction de peine à deux mois en cherchant à faire tomber l'accusation d'usurpation de fonction, la voisine de palier de la rue Neuve n'ayant jamais pu être entendue par la police.

La présidente du tribunal s'impatientait.

— Madame Dervishaj ? Avez-vous quelque chose à ajouter à la plaidoirie de votre avocat ?

— Non, madame la présidente.

— Bien. Dans ce cas, je prononce la clôture des débats. Le tribunal va se retirer pour délibérer. Le jugement sera rendu dans cette même salle à… Elle regarda sa montre. À dix-neuf heures, soit dans trois heures. L'audience est levée.

Dans son bureau de la rue du Pommier, le procureur Jemsen fixait, incrédule, les documents que Flavie lui avait tendus.

— C'est impossible, souffla-t-il. Tromper la justice est une pure folie. Alba Dervishaj n'existe pas.

— Bien sûr que si ! répondit la greffière. Alba est inscrite dans toutes les bases de données officielles : registre des naissances, police des habitants, fisc, assurances sociales, permis de conduire et j'en passe. Même au casier judiciaire. Dans AFIS[1], ce sont ses empreintes digitales, non celles de Tanja. Idem pour l'ADN, tant dans CODIS que sur le câble du *téléphérique*. Et c'est au nom d'Alba qu'a été pris l'abonnement du téléphone qui a servi à l'évasion de Berti Balla.

— Mais Alba n'existe pas, en vrai…

— Qui peut le savoir ?

— Ses employeurs.

— La police judiciaire fédérale sait que Tanja est détachée pour des missions d'infiltration et on ne l'a pas revue à Berne depuis plus d'un an.

---

1. Le système automatique d'identification des empreintes digitales en Suisse, l'équivalent du FAED en France.

— Et la police neuchâteloise?

— Ceux qui sont intervenus l'an passé au Perla Blu n'ont vu qu'une pute se venger de son mac. Tous les autres policiers du BAP ne la connaissent que sous le nom d'Alba Dervishaj, sans vraiment savoir qui elle est. En réalité, elle n'est qu'un fantôme. De nombreuses rumeurs courent à son sujet, notamment qu'elle serait une informatrice privilégiée du commissaire Daniel Garcia.

— Avec un passe d'accès et un bureau au BAP?

— Rien n'est officiel. Garcia a essayé de faire taire ces rumeurs en la faisant passer pour une employée des ressources humaines de la police neuchâteloise. Personne n'en sait plus à son sujet.

— Et la mort du *Vénitien*?

— Ça s'est passé tellement vite et dans la panique générale, que personne n'a retenu son visage ni su son vrai nom.

— Et Dan Garcia…

— Il est d'accord avec moi, coupa Flavie. J'en ai déjà parlé avec lui. Il est prêt à en subir les conséquences, quelles qu'elles soient. Même si on l'accuse disciplinairement d'avoir laissé libre accès aux locaux du BAP à une informatrice.

— Reste le juge Ansermet. Il sait très bien qui est la mère de son fils.

— Il a appelé le greffe ce matin. Tout ce qu'il demande, c'est qu'on retrouve l'assassin du petit Loran. Il refusera de témoigner contre Tanja. Je lui ai dit qu'on était obligé de le convoquer. Il m'a répondu que s'il recevait un mandat de comparution de notre part il produirait un certificat médical de dispense.

L'idée de Flavie était dingue et ne plaisait pas du tout à Jemsen.

— Pourquoi Garcia serait-il d'accord pour jouer ce jeu extrêmement dangereux ?

— Parce que, comme moi, il est convaincu de l'innocence de Tanja.

— Mais quel intérêt pour Tanja de se faire juger sous le nom d'Alba ?

— Ça lui laisserait une chance.

— Laquelle ? Elle est arrêtée. Je vais devoir l'entendre et demander au tribunal des mesures de contrainte, d'ordonner sa détention provisoire. Que ce soit sous sa véritable identité ou sous une autre, le résultat sera le même.

— Son vrai nom ne sera pas traîné dans la boue, en attendant que nous trouvions une solution pour prouver son innocence. Vous savez comme moi ce qu'implique un acquittement au bénéfice du doute. L'honneur du prévenu n'est jamais complètement lavé, il reste toujours des soupçons. Et nous, nous éviterons un scandale public en jugeant une inspectrice de police. Imaginez le battage médiatique ! Tandis qu'une vulgaire pute albanaise, tout le monde s'en fichera.

— C'est du suicide…, murmura Jemsen. Il réfléchit un instant et se rappela la phrase de Rochat au moment où Ansermet et Tanja étaient sortis des moulins. Le blond l'avait pointée du doigt en vociférant : « C'est cette Alba Dervishaj qui nous a enlevés pour découvrir qui a tué sa mère et son fils. » Il reprit :

— Votre idée tient de la folie, Flavie… je vais y réfléchir, mais que j'entre ou non dans ce jeu, je vais devoir vous tenir à l'écart du dossier. Et je ne suis pas certain non plus qu'on ne demande pas ma propre récusation.

Pour la première fois de la discussion, l'espoir esquissa un léger sourire sur le visage triste et défait de la greffière.

74

Tout le monde se leva et le tribunal se retira pour délibérer. Les gendarmes passèrent les menottes à la prévenue. En se dirigeant vers la sortie, Tanja leur demanda d'aller aux toilettes. Ils l'accompagnèrent, lui ôtèrent les menottes et se postèrent devant la porte.

Tanja verrouilla, simula quelques froufrous de vêtements comme si elle se déshabillait, puis fit jouer silencieusement le couvercle de la chasse d'eau. La céramique bougea, émit un léger crissement. Tanja s'immobilisa et feignit de tousser.

— Tout va bien ? demanda le gendarme derrière la porte.

— J'arrive, ronchonna Tanja en soulevant le couvercle.

La petite boîte métallique était là, sous l'eau. *Merci Flavie.* Tanja tira la chasse, le niveau descendit rapidement. Profitant du bruit d'écoulement, elle saisit l'objet, l'ouvrit et inspira profondément pour se donner du courage, en voyant le Glock 19 dans son coffret.

Contrôle rapide de l'arme. Elle n'était pas chargée, mais ce n'était pas important. Tanja n'avait aucune intention de s'en servir. L'illusion suffirait.

— Tes poignets, ordonna le gendarme qui avait déjà préparé les menottes.

Tanja leva ses mains jointes dans sa direction. Il pâlit quand ses yeux fixèrent le canon qu'elle pointait sur lui.

— Pas un bruit, murmura Tanja. Appelle ton pote.

Mains levées au-dessus de sa tête, le gendarme obéit. En entrant, son collègue hésita un instant.

— Bouge pas ! souffla Tanja en le braquant à son tour. Il comprit à son regard qu'elle ne plaisantait pas et leva les bras.

— Entrez là-dedans tous les deux ! ordonna-t-elle en désignant les toilettes pour femmes.

Elle leur fit glisser les menottes derrière le siphon pour s'attacher de part et d'autre de la cuvette.

— Un seul cri, un seul mot avant que je quitte ce bâtiment et je vous dessine un troisième œil à tous les deux. C'est clair ?

Ils hochèrent la tête, obnubilés par le canon du Glock qu'elle faisait passer de l'un à l'autre.

Tanja glissa un regard dans le couloir du premier étage. C'était le calme plat, il n'y avait plus personne. Tanja n'emprunterait pas les escaliers, c'était trop risqué de passer devant le guichet du poste de police. Elle tourna la tête à l'opposé. Une fenêtre donnait sur la rue. Elle l'ouvrit. Le froid envahit le couloir. Quatre mètres séparaient la fenêtre du toit d'une voiture de patrouille stationnée en contrebas. La neige recouvrait entièrement les gyrophares.

La chute lui parut interminable, le choc fut violent. Au contact de la tôle enneigée, les semelles glissèrent, son bassin heurta la rampe de feux bleus qui se brisa, son corps roula sur le capot et tomba sur le trottoir. Les gémissements de Tanja furent couverts par le système d'alarme de la voiture endommagée. Dans quelques secondes, tous les gendarmes surgiraient rue de la Boucherie. Elle n'avait pas de temps à perdre. Elle se releva et se mit à courir en direction des quartiers sud. Il fallait mettre un maximum de distance avant que La Chaux-de-Fonds se transforme en fourmilière.

Trois mois s'étaient écoulés depuis son évasion. Le tribunal criminel des Montagnes et du Val-de-Ruz avait rendu son jugement par défaut : dix ans de prison. L'office d'exécution des sanctions l'avait signalée sous mandat d'arrêt international. Le nom d'Alba Dervishaj figurait dans toutes les bases de données de l'espace Schengen.

Au port de Bevaix, le restaurant La Trinquette avait ouvert ses portes pour la belle saison. Flavie et Jemsen profitaient des premières chaleurs printanières devant une assiette de filets de perche, dans la fraîcheur de la véranda, avec vue imprenable sur le lac de Neuchâtel, le Plateau suisse et les Alpes fribourgeoises.

— Comment allez-vous ? demanda le procureur à sa greffière.

— Mieux, répondit Flavie. J'ai enfin débarrassé les affaires de Mathilda. Ça n'a pas été facile, mais les circonstances m'ont beaucoup aidée. J'ai trouvé un acheteur pour l'appartement d'Auvernier. Je déménage le mois prochain dans un petit logement de La Béroche. Je crois que je suis soulagée. Et vous ?

Jemsen savait ce qu'elle espérait. Il n'était pas encore

disposé à lui parler de son passé, mais lui avoua avec un sourire :

— J'ai retrouvé quelqu'un.

Les yeux de Flavie s'illuminèrent.

— On peut connaître le nom de l'heureuse élue ?

— Elle s'appelle Mélanie. Nous nous fréquentons depuis deux mois.

— Deux mois et vous ne m'en parlez que maintenant ?

— Les choses sont un peu compliquées. Elle est mariée et…

Le serveur les interrompit en leur versant un verre de pinot noir « Les Sorcières ». Ils le remercièrent. Quand ils se retrouvèrent seuls dans la véranda, sans oreille indiscrète, Jemsen aborda un sujet sensible.

— Je sais que vous avez cru aider Tanja en déposant ce pistolet dans les toilettes du tribunal. C'était une folie de plus.

Flavie faillit s'étouffer avec son poisson.

— Mais je…

Elle allait mentir. Jemsen le lui évita.

— Rassurez-vous, Garcia a effacé les traces de votre badge sur la serrure électronique des locaux de la police de proximité de La Chaux-de-Fonds. Et l'eau a effacé vos empreintes et votre ADN sur l'étui du pistolet.

La greffière se sentit mal. Ce qu'elle pensait être un pesant secret ne l'était plus. Elle balbutia :

— Je vous jure que…

— Vous ne saviez pas que c'était une arme ? la coupa-t-il. Je vous crois. Vous avez cru bien faire, mais vous n'avez pas réfléchi. Vous auriez pu avoir de gros ennuis.

234

— J'en suis consciente. J'étais aveuglée par la douleur et un sentiment d'injustice.

— Nous l'étions tous, Flavie. Moi le premier. J'ai d'ailleurs fortement hésité à révoquer le mandat d'arrêt international lancé contre Tanja.

— Vous n'auriez pas pu. L'office fédéral de la justice l'aurait refusé. Un procureur ne peut pas révoquer un mandat d'arrêt émis par une autre autorité.

— Probablement. De toute façon, je me suis dit que Tanja était signalée sous une fausse identité.

— Mais il y a toujours sa photo dans les bases de données européennes. Et avec les systèmes de reconnaissance faciale qui sont de plus en plus performants…

— On peut faire confiance à Tanja pour disparaître, c'est une pro de l'infiltration. Elle va tout mettre en œuvre pour retrouver l'assassin de sa mère et de son fils.

Ils terminèrent leurs assiettes et commandèrent des cafés. Dans le port voisin, les premiers navigateurs repeignaient des coques de bateaux en cale sèche.

— Il y a une question que je ne vous ai jamais posée, reprit Flavie. Pourquoi l'avez-vous laissé juger sous le nom d'Alba ?

— Parce que la présomption d'innocence est un beau principe mais qu'il a ses limites. Les preuves étaient contre elle, j'étais convaincu qu'elle avait été piégée, mais je doutais de mes capacités à le démontrer. D'ailleurs, le verdict final n'a fait que conforter mon choix *a posteriori*.

— Une grave erreur judiciaire. J'espère que nous arriverons à le démontrer. Le pire, c'est de savoir qu'un assassin se promène en liberté et que nous sommes totalement impuissants à le démasquer.

— Faites confiance à Tanja, répéta Jemsen.

Le téléphone de Flavie se mit à vibrer sur un coin de la table.

— Quand on parle du loup, sourit la greffière avant de décrocher.

76

Le couple avançait en silence dans le cimetière du Bois-de-Vaux. C'était le plus grand de Lausanne, un monument historique suisse. Ils passèrent devant la tombe de Pierre de Coubertin sans penser aux Jeux olympiques, ne virent même pas celle de Coco Chanel, mais marquèrent presque un arrêt devant le cénotaphe de Paul Robert, l'inventeur de ce fabuleux dictionnaire qui n'a de petit que le nom.

Il y avait une longue allée bordée d'arbres, avec des massifs fleuris, des bassins et des bancs, presque un charme insolite. Frédéric Ansermet et la femme qui l'accompagnait laissèrent derrière eux le monument dédié aux sapeurs-pompiers de Lausanne, et arrivèrent au carré musulman dont des tombes avaient été plusieurs fois saccagées par des extrémistes. L'ancien magistrat repensa à ce nazillon qu'il avait condamné deux ans plus tôt. Si ce petit con et ses copains sans cervelle s'étaient avisés de seulement toucher la tombe de Loran, sa sentence aurait été différente. Plus personnelle et sans appel.

Ansermet s'accroupit et déposa une rose blanche au pied de la stèle. Il avait fait graver le prénom de son fils. Simplement Loran, sans nom de famille. À côté, une autre tombe, anonyme, celle d'une migrante albanaise que la police vaudoise n'avait pu identifier. Les recherches sous le nom de Dervishaj étaient restées infructueuses.

— Pourquoi n'as-tu pas dit la vérité? demanda son amie.

Ansermet se releva.

— Un jour, dit-il, je t'expliquerai toute l'histoire. Je te le promets.

— Tu l'aimes encore cette Tanja?

— C'est toi que j'aime.

Ansermet était sincère mais savait aussi que son amie en doutait. Il l'enlaça. Un poing broyait sa poitrine. Sans pleurer, il sanglota silencieusement sur cet enfant qu'il n'avait pas connu.

77

Jemsen termina son café en écoutant la conversation de Flavie avec Tanja. Il s'amusait en imaginant
les policiers branchés sur la ligne. Les rumeurs d'une
relation entre sa greffière et la prostituée Alba Dervishaj
avaient filtré. Garcia l'avait informé discrètement que le
portable de Flavie était écouté sur ordre d'un autre procureur neuchâtelois. Une confidence sous forme d'aver-
tissement, reçue cinq sur cinq et relayée à sa greffière.

C'était le troisième appel de Tanja à Flavie. Les deux
premières tentatives de localisation avaient baladé la
police, une première fois en Chine, une deuxième fois
vers un *call center* de Marrakech. «Téléphone crypté»,
avait dit Garcia en lui remettant l'appareil.

— On en a déjà parlé, disait Flavie à Tanja. Je ne t'en
veux pas. Si tu m'avais dit ce que contenait la boîte, je
ne t'aurais peut-être pas aidée. Enfin, je ne sais pas. Ce
qui est fait est fait. Mais si tu ne t'étais pas enfuie, tu
n'aurais pas non plus été reconnue coupable de tous les
chefs d'accusation.

Tanja parla longtemps, Flavie l'écoutait en souriant.
Et puis l'inspectrice dut dire quelque chose à la greffière
sur son mari. Flavie l'interrompit.

— Le corps d'Alain repose en paix à côté de celui

de Mathilda. C'est tout ce qui compte pour moi. Je suis étrangement sereine, depuis que j'ai liquidé leurs affaires. Probablement une phase du processus de deuil. Une page de ma vie se tourne, une autre va s'écrire… Et, oui, je suis aidée. Si tu veux parler d'un psy, j'ai un excellent thérapeute. Il s'appelle Norbert Jemsen. Il est toujours là quand j'en ai besoin. Et je serai toujours présente pour lui.

Jemsen retourna à Flavie son sourire et fit un petit signe de la main à son interlocutrice mystérieuse.

— Mais non, Tanja, je suis sûre qu'il ne t'en veut pas. Comme moi, il espère sincèrement que tu arriveras à retrouver l'assassin de ta mère et de ton fils, et que la lumière sera faite sur cette affaire. J'ai tellement hâte que tout redevienne comme avant. Tu me manques. Je t'aime.

Jemsen perçut une déception dans les yeux de sa greffière après qu'elle avait raccroché. Il en connaissait la raison. Jamais Tanja n'avait dit à Flavie qu'elle l'aimait. Il allait lui expliquer encore une fois que les circonstances ne laissaient aucune place aux sentiments, quand il reçut à son tour un appel. C'était Dan Garcia. La conversation fut brève. Il raccrocha, demanda l'addition et annonça à sa greffière d'un air grave :

— Il faut qu'on y aille. Un bébé vient d'être assassiné.

78

Tanja déposa le téléphone crypté et se dirigea vers la porte. La sonnette retentit une seconde fois. Méfiante, elle ouvrit le tiroir d'une commode, prit le pistolet qui s'y trouvait et le cacha dans son dos en ouvrant la porte de sa main libre.

Le facteur la salua.

— *Ia orana !* Bonjour !

Avec ce large sourire qui caractérise la joie de vivre permanente des Polynésiens, il lui tendit un colis estampillé de timbres français. Il n'y avait pas de nom sur le paquet.

— Bonjour, répondit Tanja, mais je doute que ce soit pour moi.

— Je ne sais pas, dit le facteur enjoué. Vous êtes Hélène ?

Il faisait référence au nom de baptême du *fare*, la maison traditionnelle dans laquelle Tanja s'était installée depuis peu. Sous le toit de pandanus, le nom d'Hélène était gravé sur une plaque d'*aito*, le « bois de fer », comme le surnommaient les locaux en raison de sa résistance.

Tanja lui sourit, mais resta sur ses gardes.

— Si vous voulez…

Avec ses cheveux rasés, l'inspectrice fédérale ressemblait un peu à Sigourney Weaver dans *Alien 3*. La dureté de ses traits était légèrement adoucie par le bleu roi du paréo qui épousait les maigres formes de son corps. Elle reprenait peu à peu du poids et des forces, mais le chemin vers la rédemption était long. Le facteur insistait, en lui tendant le paquet.

— Il y a six mois que ce paquet traîne en poste restante à l'office de Vaitape, avec un mot indiquant qu'un jour une femme occupera ce *fare* et qu'il devra lui être remis. Ce jour est apparemment arrivé.

Tanja prit le colis, remercia le Polynésien d'un petit *mauruuru* prononcé avec un accent français appuyé, et referma la porte. Tanja regarda l'oblitération des timbres. Bastia. Comme le paquet qu'elle avait reçu au BAP avec une clé et la lettre d'Éric Beaussant : *Il s'agit de mon seul bien matériel de valeur, en dehors du* Larimar *que les autorités corses ne manqueront pas de saisir à leur profit. Mais celui-là, elles ne l'auront pas. Il est inscrit au nom de mon père. Je suis sûr que tu sauras en faire bon usage. C'est un petit pavillon que j'ai rebaptisé « Hélène ». Il se situe sur Motu Piti A'au à Bora Bora. J'y ai vécu lorsque j'étais en poste en Polynésie, avant de revenir travailler à Bonifacio en 2015. Toutes les personnes qui comptaient pour moi sont mortes. Aucune parenté éloignée, si tant est qu'il en existe encore en vie, n'est plus digne que toi de recevoir cette clé. Elle est la clé de mon salut, celle qui te permettra peut-être de me pardonner un jour.*

Tanja prit un couteau dans la cuisine et ouvrit le colis. Il pesait son poids en dépit de sa petite taille. À l'intérieur, un objet rectangulaire était emballé sous plusieurs couches de papier journal. L'inspectrice reconnut la Une d'une édition de *Corse-Matin* de septembre 2018. Elle déchira l'emballage grossier et dévoila son contenu. L'objet brilla de mille feux dans les rayons du soleil inondant le *fare*. Estampillé de la croix gammée, le lingot d'or était semblable à celui découvert dans la bijouterie de Neuchâtel. Un simple mot l'accompagnait.

Il aurait été dommage que tout se perde à jamais. La vie est chère en Polynésie française. Amicalement, Éric Beaussant

Laissant le lingot sur la table de la cuisine, Tanja gagna la terrasse du *fare*. Elle sentit une boule nouer ses entrailles, les larmes monter à ses yeux. Le mont Otemanu dominait l'île de Bora Bora et son lagon aux mille tons de bleu. Elle alluma une cigarette et se promit que ce serait la dernière.

Derrière les fenêtres de son bureau du BAP, le commissaire Dan Garcia observait pensivement la cuvette de Vauseyon. Demain, il avait rendez-vous avec le commandant de la police neuchâteloise, qui souhaitait l'auditionner dans le cadre de la procédure disciplinaire ouverte contre lui. Une simple formalité qui ne le préoccupait pas outre mesure. Son inquiétude était ailleurs. Elle émanait d'un message qu'il venait de recevoir d'un collègue vaudois. Depuis six mois, l'inspecteur Pascal Kneuss le tenait informé des progrès de l'enquête sur le double assassinat de la rue Neuve et du port de Morges.

Après plusieurs tentatives infructueuses pour entendre le témoignage de Mme Reymond, qui n'était pas apparu comme une priorité absolue au début de l'enquête, la police avait finalement décidé de faire appel à un serrurier pour entrer dans l'appartement de la voisine de palier. Elle n'avait trouvé aucune trace de la vieille femme, mais plus inquiétant, aucun effet personnel ne semblait manquant. Des investigations complémentaires avaient été ordonnées par le ministère public de Lausanne auprès des agences de voyages, des aéroports, des banques et des organismes de cartes de crédit.

Mme Reymond n'était pas partie en voyage à l'étranger. Elle s'était tout simplement volatilisée. Sans famille, personne n'avait signalé sa disparition.

Le constat avait conduit la police à approfondir l'enquête. Un profil ADN de la vieille dame avait été établi à partir des effets qu'on avait retrouvés dans son appartement. Il avait abouti à une impossibilité scientifique. Une double concordance dans le CODIS, deux profils ADN identiques, celui de la voisine de palier et celui de la mère de Tanja.

Face à ce résultat improbable, le procureur avait ordonné l'exhumation du corps qui reposait dans la tombe anonyme du cimetière du Bois-de-Vaux. La religion musulmane interdit l'incinération, ce qui avait été respecté, à défaut d'identification formelle de la clandestine de la rue Neuve. Des analyses complémentaires étaient en cours. Y avait-il eu tromperie ? Cafouillage ?

Face à ces questions, le parquet avait requis de nouvelles analyses sur les échantillons de sang prélevés sur le pont du voilier de Morges. Là aussi, la surprise avait été de taille. Le résultat initialement interprété comme l'ADN d'un enfant contenant des allèles communs avec les profils génétiques de « ses parents » avait été remis en cause. L'ADN de Tanja et celui de Frédéric Ansermet se trouvaient bel et bien dans ce mélange, mais le sang présentait deux rhésus différents. Les scientifiques de la police vaudoise et du CURML travaillaient d'arrache-pied pour parvenir à une nouvelle interprétation de ces traces.

Tout se brouillait dans la tête de Garcia. Il ne parvenait pas à mettre de l'ordre dans ses idées ni à obtenir une vision claire de ce qui s'était passé. Le chef des stups mâchouillait un Sugus, en regardant une voiture de gendarmerie quitter le garage du BAP, gyrophares et sirène enclenchés. Il y en eut une deuxième, puis une troisième. Le téléphone sonna sur son bureau.

Garcia décrocha. Le chef de quart lui annonça qu'un bébé venait d'être assassiné. Calme jusque-là, la permanence s'était réveillée. En enfilant sa veste pour partir sur les lieux du crime, Garcia téléphona au procureur Jemsen pour l'informer de cette nouvelle affaire.

Dans l'ascenseur qui le menait au garage, le commissaire se repassa le film des faits nouveaux que lui avait communiqués l'inspecteur Kneuss. Il devait être patient, mais une ombre prenait forme dans son esprit et il en détestait déjà les contours.

Tanja, aurais-tu pissé contre le vent ?

Épilogue

De rares nuages résistaient encore à la chaleur et s'accrochaient aux versants du mont Otemanu. Autour de l'île, le bleu du ciel ajoutait une nuance aux couleurs du lagon. Un léger vent du large irisait les flots transparents où raies, requins et balistes cohabitaient en parfaite harmonie. S'il y avait un paradis sur terre, ce serait à Bora Bora.

Tanja éteignit sa cigarette et traversa le jardin. Elle prit la direction de la plage, entre deux rangées de frangipaniers et de tiarés. Au pied des cocotiers, des crabes avaient creusé des trous et disparaissaient dans le sable en entendant ses pas. Elle ne les remarqua pas ni ne les vit, Tanja était songeuse. Elle rembobinait le fil des événements des derniers mois. Le tribunal l'avait condamnée sévèrement, à juste raison. Elle était coupable de tout ce qu'on lui reprochait, et de bien plus encore. Elle avait jeté les lions dans l'arène pour qu'ils se dévorent entre eux et s'était vengée de tous ceux qui représentaient une menace à ses yeux.

Robert Balla constituait la menace numéro un depuis qu'il avait été arrêté. Le maquereau avait été le détonateur de la folie de Tanja, lorsqu'il avait ouvertement promis de la retrouver et de tous les éliminer, elle et les siens. Elle avait devancé ses plans et l'avait berné en se faisant passer, en albanais, pour un de ses hommes de main, grâce au modificateur de voix. Elle l'avait aidé à s'évader en semant des cailloux à la manière du Petit Poucet et l'avait chloroformé lorsqu'il était monté dans la voiture. Ensuite seulement, elle l'avait conduit au col des Roches.

Alain Keller et Serge Rochat n'avaient été que des dommages collatéraux. Ou plutôt la cerise sur le gâteau. Ils ne représentaient aucune menace directe pour sa famille, mais ils avaient détruit la vie de Flavie. Et le bonheur de Tanja par ricochet. Deux mâles insignifiants qui avaient nui, chacun à sa façon, aux fondations d'une relation solide entre les deux femmes.

La menace numéro deux était venue de Frédéric Ansermet. Qu'est-ce qu'elle avait pu le haïr, ce « gros con » prétentieux ! Elle l'avait enlevé dans le parking de Montbenon, mais avant de le conduire aux moulins, elle avait prélevé un litre de son sang. Elle s'était elle-même ponctionné un litre de son propre sang, puis avait mélangé les deux et jeté le tout sur le pont d'un voilier choisi au hasard dans le port de Morges. Le dauphin en peluche de Loran avait achevé de créer l'illusion.

Si Berti Balla avait été le détonateur de la folie de Tanja, Fred Ansermet était celui qui avait déclenché la bombe. Le soir précédant le départ de Tanja pour la Corse, elle l'avait aperçu sur la terrasse du Pointu en face de l'appartement de la rue Neuve et s'était persuadée que Fred avait découvert sa paternité et venait réclamer ses droits sur Loran. Elle avait erré près de deux heures dans le bois de Sauvabelin à échafauder toutes les possibilités qui s'offraient à elle et quand elle avait croisé l'ombre d'un renard dans le faisceau d'un lampadaire, Tanja avait pris sa décision : sa mère et son fils devaient disparaître.

Tard dans la nuit, elle était revenue rue Neuve. Le Pointu était fermé. Nulle trace du «gros con». Alors qu'elle s'énervait avec sa clé dans la serrure grippée, la voisine de palier était apparue dans l'embrasure de sa porte. Mme Reymond lui avait fait une remontrance en raison du bruit tardif. Excédée, Tanja lui avait montré sa carte de police. Mais l'effet n'avait pas été celui qu'elle escomptait. La vieille avait affiché un visage paniqué, balbutié quelque chose d'incompréhensible, porté ses mains à sa poitrine et s'était écroulée.

C'est à ce moment-là que tout avait basculé. La première idée de Tanja avait été d'appeler les secours, mais elle s'était ravisée. La vieille était morte, c'était trop tard pour elle. À l'arrivée des ambulanciers et de la police, Tanja devrait s'expliquer sur la présence de sa mère et de son fils, et toutes les sécurités qu'elles avaient mis des mois à construire s'effondreraient.

Dans un état second, elle avait traîné le corps de la vieille dans l'appartement. Sans explication, elle avait ordonné à sa mère de réveiller Loran et de partir immédiatement. Elle lui avait donné de l'argent, un téléphone crypté et ses instructions : filer du côté de Genève et passer la frontière à Sauverny où il n'y a pas de poste de douane. Prendre la direction de Paris, trouver un hôtel en pleine campagne. Elle l'appellerait de Corse pour lui donner des instructions complémentaires.

Sa mère était partie docilement, sans même un regard pour le cadavre de sa voisine étendu dans le salon, avec Loran à moitié endormi dans ses bras. Tanja s'était alors occupée de la vieille. Elle savait qu'elle vivait seule, qu'elle était sans famille et qu'elle était connue pour voyager à l'étranger plusieurs mois par an. Personne ne se soucierait de sa disparition avant de nombreuses semaines.

Tanja avait renversé la table du salon, brisé le verre pour faire croire à une bagarre, puis déshabillé le cadavre auquel elle avait passé des habits de sa mère. Elle l'avait ensuite soigneusement coiffé et lui avait lavé les dents. Elle avait déposé la brosse et le peigne dans un gobelet de la salle de bains. Tanja savait que pour l'identification la police scientifique procéderait à des prélèvements d'ADN sur ces deux objets.

Elle avait ensuite pris un couteau et frappé le corps à deux reprises, avant de mutiler le visage de la voisine. Avec un peu de chance les légistes ne vérifieraient pas les bords des plaies pour déterminer si la vieille avait saigné *ante* ou *post mortem*.

Il y avait beaucoup d'incertitudes dans ce scénario imaginé dans la précipitation. Pour ajouter un peu de réalisme à la scène et éviter que la police scientifique ne pousse trop avant ses investigations, Tanja avait alors très adroitement égoutté son couteau en faisant gicler du sang sur les murs. Les projections étaient parfaites, elle avait eu un sourire de satisfaction.

En refermant la porte derrière elle, Tanja avait forcé la serrure, pour faire croire à une effraction. Des chaussures trouvées dans la cage d'escalier avaient achevé l'illusion d'un assassin de grande taille. Au petit matin, avant de s'envoler pour la Corse, elle avait rappelé sa mère pour lui donner la suite des instructions.

Mais l'idée de l'exfiltration à Tahiti, Tanja l'avait eue

à son retour de Bastia, en recevant le premier colis d'Éric Beaussant. Elle avait envoyé à sa mère la clé du *fare*, avec de faux papiers, de l'argent, deux billets Orly-Tahiti Faaa et un *voucher* pour Papeete.

« Jusqu'où une mère est-elle prête à aller pour défendre son enfant ? » La phrase de Jemsen résonnait encore dans les oreilles de Tanja quand ses pieds foulèrent le sable blanc. Il n'y avait personne sur la plage, à part sa mère qui jouait dans l'eau du lagon avec Loran. Pour la première fois de sa vie, Tanja se sentait libre.

Le Livre de Poche s'engage pour
l'environnement en réduisant
l'empreinte carbone de ses livres.
Celle de cet exemplaire est de :
400 g éq. CO_2
Rendez-vous sur
www.livredepoche-durable.fr

PAPIER À BASE DE
FIBRES CERTIFIÉES

Composition réalisée par Soft Office

Achevé d'imprimer en avril 2021 en Espagne par
LIBERDUPLEX
Dépôt légal 1re publication : avril 2021
LIBRAIRIE GÉNÉRALE FRANÇAISE
21, rue du Montparnasse – 75298 Paris Cedex 06